Café CREME 2

MÉTHODE DE FRANÇAIS

Cahier d'exercices

Marcella Beacco di Giura

Sandra Trevisi

Pierre Delaisne

HACHETTE Livre

Français langue étrangère

58, rue Jean-Bleuzen, 92170 VANVES

Crédits photographiques
Hoa-qui / M. Garnier : p. 19 ; Paul : p. 49 ; Silvestris : p. 57.
Rapho / E. Mandelmann : p. 62 ; P. Michaud : p. 69 ; J. Windenberg : p. 80.
Les Galeries Lafayette / p. 30.

Remerciements
L'éditeur tient à adresser ses plus vifs remerciements pour leur aide aux sociétés suivantes :
le magazine *Quo*, le magazine *Réponse à Tout*, *Le Journal du Dimanche*, l'association du Pôle Touristique du Pays de Grasse, le conseil régional d'Île-de-France, *Le Monde*, l'office départemental du tourisme de Charente-maritime, les Galeries Lafayette.

Maquette et Réalisation PAO : O'Leary
Couverture : Encore lui !
Photo couverture : J.-F. Castell
Dessins : Catherine Beaumont
Secrétariat d'édition : Claire Dupuis

ISBN : 2-01-155094-7
© Hachette livre, 1998 - 43, quai de Grenelle, 75905 Paris cedex 15.

TABLE DES MATIÈRES

MUSIQUES

Vocabulaire et orthographe

❶ **Complétez ce tableau avec un verbe et un nom, à l'aide d'un dictionnaire si nécessaire.**

	verbes	nom masculin	/ nom féminin
(un) concert	*donner un concert*	*un concertiste*	*/ une concertiste*
1. (un) piano	....	.... / ....
2. (une) chanson	....	.... / ....
3. (la) musique	....	.... / ....

❷ **Complétez avec les mots de l'exercice précédent.**

L'association Les Amis de la musique, ... *dimanche après-midi, à 15 heures. Tous les .... sont des élèves de nos cours. Venez nombreux !*

➔ *L'association* Les Amis de la musique *donne un concert, dimanche après-midi, à 15 heures. Tous les concertistes sont des élèves de nos cours. Venez nombreux !*

1. – Qui .... ce soir, à la télé ?

– Tu ne le sais pas ? C'est Paul Personne, mon .... préféré !

2. – C'est ton voisin qui .... du piano ?

– Oui, il est ....

3. – Elle a toujours aimé .... de la .... ! C'est pour ça qu'elle est devenue

....

– Ce n'est pas surprenant : son père aussi était ....

❸ **Lisez et repérez les mots avec les sons** [e]**, comme dans vé̲rité̲, et** [ɛ] **comme dans frè̲re. Complétez le tableau.**

Je te ré̲pè̲te que c'̲est̲ vr̲ai̲ !

1. Tu fais du piano ?

2. Ce chanteur a du succès.

3. La chanson aide à créer des liens.

4. Tu t'appelles comment, déjà ?

5. Vous pouvez entrer !

le son [e]	le son [ɛ]
ré̲pète	*répè̲te, es̲t, vra̲i*
…………………………	…………………………
…………………………	…………………………

Grammaire

❹ **Complétez avec les pronoms relatifs *qui* ou *que*.**

Le spectacle … est organisé pour le samedi 18 est gratuit.
➜ *Le spectacle qui est organisé pour le samedi 18 est gratuit.*

1. IAM est un groupe de rap ………… a un grand succès parmi les jeunes.

2. La lettre ………… je viens de recevoir a été envoyée de Hollande.

3. À la radio, il y a beaucoup de stations ………… passent de la musique.

4. *Choralia* est le nom d'un magazine ………… est consacré au chant choral.

5. Le collègue ………… je t'ai présenté a un fils ………… est un pianiste connu.

❺ **Reliez les deux phrases par le pronom relatif qui convient.**

Les critiques trouvent ennuyeux le spectacle. Le spectacle passe à l'Olympia en ce moment.
➜ *Les critiques trouvent ennuyeux le spectacle qui passe à l'Olympia en ce moment.*

1. André doit encore me rendre le disque. Je lui ai prêté le disque.

………………………………………………………………………………………

2. J'ai retrouvé le parapluie. Tu as perdu le parapluie hier.

………………………………………………………………………………………

3. Voilà les choristes. Ils viennent de Bordeaux pour la Fête de la musique.

………………………………………………………………………………………

4. Il y a beaucoup de magasins d'instruments musicaux. Ils se trouvent dans le 9e arron-

dissement. ………………………………………………………………………………

5. Tu sais, j'ai écouté la chanson. Ma mère chantait toujours la chanson.

………………………………………………………………………………………

6 **Transformez ces phrases avec *c'est… qui*.**

L'aîné, Charles, fait du violon.
→ *C'est l'aîné, Charles, qui fait du violon.*

1. Le festival de jazz se tient à Nice, en juillet. ....

2. Son père est chef d'orchestre. ....

3. Ta cousine suit un cours de musique ? ....

4. M. Giraud aime le tourisme culturel, sa femme préfère la mer. ....

5. L'enregistrement de la dernière chanson a créé des problèmes. ....

7 ***C'est… qui*** **ou** ***c'est… que ?*** **Transformez les phrases suivantes.**

J'ai vu Johnny Hallyday dans la rue.
→ *C'est Johnny Hallyday que j'ai vu dans la rue.*

1. Elle s'achète une guitare pour son anniversaire. ....

2. Le groupe Les Négresses vertes est en tournée en Europe. ....

3. Nous avons oublié son numéro de téléphone. ....

4. On organise un concert en plein air. ....

5. Brassens est sans doute l'auteur-compositeur le plus célèbre en France. ....
....

8 **Voici les réponses à un questionnaire sur les loisirs. Trouvez les questions. Utilisez l'inversion du sujet.**

1. Mon loisir préféré est la musique.
....

2. Je consacre à la musique six heures par semaine, en moyenne.
....

3. Oui, je joue du piano, mais aussi de la guitare et d'autres instruments.
....

4. De la musique classique, du jazz, de la musique populaire.
....

5. Non, je n'ai pas chanté dans une chorale.
....

9 **Rédigez des questions en utilisant *où – quand – pourquoi – comment – quel*.**

(assister à) ton premier concert ? → *Quand as-tu assisté à ton premier concert ?*

1. .... (pouvoir) te payer le billet ?

2. .... (écouter) de la musique : dans une salle de concert ou à la maison ?

3. .... (préférer) la musique baroque ?

4. .... (connaître) musicien de cette époque ?

⑩ Demandez les informations suivantes :

	a. à un ami	**b. à un passant**
1. l'adresse du cinéma Le Rex	*Est-ce que tu connais l'adresse… ?*	*Connaissez-vous l'adresse… ?*
2. le temps qu'il vous faut pour y arriver	………………………	………………………
	………………………	………………………
3. la station de métro la plus proche	………………………	………………………
	………………………	………………………
4. le bus qui va dans cette direction	………………………	………………………
	………………………	………………………

N'oubliez pas que *est-ce que…* est utilisé dans des situations plus familières que *l'inversion du sujet*, qui est plus formelle.

Expression

DU 11 AU 16 JUILLET
13ᵉ FRANCOFOLIES DE LA ROCHELLE

TARIFS

Tarif réduit : pour les moins de 12 ans
Gratuité : enfants de moins de 6 ans
Attention : les caisses du soir n'acceptent que les espèces

LA VILLE EN FÊTE

● **Le cours des Dames**
L'espace Francofolies vous accueille de midi à minuit.
De l'information et des animations.

● **L'espace les Ailes Bleues**
vous invite à venir découvrir un programme complet de musique et de multimédia : découvertes d'artistes, informations, initiations aux nouvelles technologies et aux nouveaux sons… pour tous les amateurs de musique !!! Plein de cadeaux à gagner !

● **Les Pots de quartiers**
Tous les jours à midi, dans un quartier différent de la ville, les commerçants et Radio France La Rochelle vous invitent à partager le verre de l'amitié.

● **Les lieux, les adresses, les horaires**
• L'esplanade Saint-Jean-d'Acre : entrée tour Saint-Nicolas, ouverture des portes à 19 heures (bar, terrasse, animations).
• La Coursive (grand théâtre, salle bleue) : 4, rue Saint-Jean-du-Pérot.
• L'Encan : quai Louis-Prunier, ouverture des portes à 19 heures.
• Le carré Amelot : 10 *bis,* rue Amelot.
• La cathédrale : place de Verdun.

⓫ Lisez le texte et répondez aux questions.

a. Qui a écrit ce texte ? ....

b. À qui s'adresse-t-il ? ....

⓬ Repérez dans le texte :

1. les titres de l'affiche : ....
....

2. les lieux où se déroulent les spectacles : ....
....

3. les expressions d'invitation : ....
....

⓭ Complétez ce texte avec les mots suivants : *adressez-vous – le dernier spectacle – retour – collègues – concert – voyage – déjeuner – visite – entre.*

Chers ....,

Nous vous informons que le comité d'entreprise organise un ....

aux Francofolies de La Rochelle. Départ le dimanche à 6 heures devant l'usine et

.... le dimanche soir après ....

10 heures   arrivée à La Rochelle.

12 heures   apéritif et ....

14 heures   .... de l'espace les Ailes Bleues.

19 heures   dîner sur le port.

21 h 30   .... à la cathédrale.

Pour vous inscrire, ... au comité d'entreprise tous les jours

.... 12 et 14 heures.

CAFÉS

CAFÉ LEFFE,   Tél. 05 46 41 43 10
52, cours des Dames, La Rochelle.

CAFÉ DE LA PAIX,   Tél. 05 46 41 39 79
54, rue Chaudrier, La Rochelle.

CAFÉ DE LA POSTE,   Tél. 05 46 41 76 44
Place de l'Hôtel de Ville, La Rochelle.

L'ÉPI DE BLÉ,   Tél. 05 46 41 26 85
2, rue du Port, La Rochelle.

LE ROLL'S,   Tél. 05 46 41 41 88
Plage de la Concurrence, La Pergola, La Rochelle.

CASINO

CASINO DE LA ROCHELLE,   Tél. 05 46 34 12 75
Allée du Mail, La Rochelle.   Fax. 05 46 67 92 86

SORTIR À LA ROCHELLE

⑭ La lettre de ce professeur de lycée aux Francofolies est dans le désordre. Réécrivez-la en respectant la mise en page.

Jean-Louis Vasquez – Lycée Stendhal – Caen – Francofolies – 8, rue de l'Archimède – 17000 La Rochelle

Le groupe est composé de 30 lycéens et de 3 accompagnateurs et nous souhaitons assister à un spectacle en soirée. – Notre lycée organise un voyage à La Rochelle le 15 juillet pour assister au festival des Francofolies. – En vous remerciant par avance, je vous prie de croire, monsieur, à mes sentiments les meilleurs. – Nous aimerions recevoir des informations sur le programme et les tarifs pratiqués pour les groupes. – Monsieur,

DELF ⑮ Une fête va avoir lieu dans une ville que vous connaissez bien. Vous organisez un voyage avec un groupe. Écrivez une lettre à l'office du tourisme pour demander des renseignements. Suivez le modèle de la lettre de l'exercice 14.

....

....

....

....

....

....

....

....

....

....

Conversations

CULTURE EN LIBERTÉ

❶ Lisez cette conversation et mettez les répliques dans le bon ordre.

1. – Bonjour, M. Bernet. Vous fabriquez donc des violons. Pourquoi avez-vous choisi ce métier ?

2. – Vous avez deux enfants. Est-ce qu'ils vont faire le même travail que vous ?

3. – Quand j'étais petit, je rentrais de l'école, je venais ici, dans l'atelier, et je regardais mon père travailler. C'était extraordinaire ! C'est comme ça que j'ai commencé.

4. – À quel âge avez-vous commencé à travailler ?

5. – Je ne crois pas et je ne leur dis rien. Il faut avoir un vrai amour pour ce métier, pour le choisir !

6. – Mon père et mon grand-père en fabriquaient déjà. J'ai continué la tradition de famille.

MUSIQUES

❷ À partir du texte suivant, complétez cet entretien d'un journaliste avec la grande pianiste Martha A.

Quand elle avait trois ans, un garçon de cinq ans a dit à Martha A. : « Tu n'es pas capable de te mettre au piano, Martha ! » Elle a pris cette phrase au sérieux. Elle a commencé à donner des concerts à l'âge de six ans. On lui reproche de ne pas avoir de méthode de travail et elle en est parfaitement consciente. Ses compositeurs préférés sont Beethoven et Schumann.

1. – Bonjour, Mme A. Vous êtes une pianiste connue dans le monde entier. Pourquoi avez-vous choisi le piano ?

2. – ....
....

3. – Quand ....

4. – ....

5. – On dit que vous n'avez pas de méthode de travail. Est-ce vrai ?

6. – ....

7. – ....

8. – J'adore Beethoven, surtout ses sonates, et Schumann, qui était un musicien généreux et passionné : son univers est magique !

DELF ❸ À partir de cette note, vous interrogez Hubert pour un magazine musical. Préparez les questions et imaginez les réponses.

Hubert est un jeune rappeur de 19 ans. Il a décidé de chanter « sa » banlieue, avec tous ses problèmes de violence, après avoir entendu MCSolar, maintenant célèbre avec ses chansons dures mais pleines d'espoir. Hubert a donné son premier concert dans le gymnase de son lycée, il y a un an. Pour son travail, il lit beaucoup, surtout les poètes Éluard et Prévert.

....
....
....
....
....
....
....

❹ Avez-vous rêvé un jour de devenir acteur, footballeur, homme politique, écrivain, navigateur… ? Interrogez celui/celle que vous auriez voulu être.

RENCONTRES

Vocabulaire et orthographe

BOÎTE À OUTILS

❶ De quoi parle-t-on quand on veut entrer en contact avec un homme ou une femme qui nous plaît ? Choisissez dans la liste suivante.

1. On parle :   **a.** de ses goûts   ❏

                       b. de son travail   ❏

                       c. des prix qui augmentent   ❏

                       d. de la faim dans le monde   ❏

2. On l'invite :   **e.** à assister à un débat politique ❏

                       f. à boire quelque chose   ❏

❷ Si les deux personnes se connaissent déjà un peu, elles se font parfois des compliments.

1. Sur quoi fait-on des compliments ? Trouvez les trois intrus.

les yeux, les oreilles, la voiture, les cheveux, les lunettes, les pieds, la robe, le vélo, le nez, la cravate.

2. Complétez ces compliments avec les mots ci-dessus.

a. Lᴜɪ : Vous avez de beaux ...., vous savez ?

b. Eʟʟᴇ : Quelle belle .... vous avez ! Elle fait du combien à l'heure ?

c. Lᴜɪ : Vos .... sont brillants, comme de la soie !

d. Eʟʟᴇ : Où avez-vous achetez vos .... ? Elles vous vont très bien !

e. Lᴜɪ : Votre .... est vraiment superbe !

f. Eʟʟᴇ : Votre .... me plaît beaucoup. Elle va très bien avec votre veste !

❸ 1. Dans votre langue, dans quels domaines prend-on les mots doux que se disent les amoureux ?

Ce sont des noms : d'astres (lune, soleil…) ❏,   d'animaux ❏,   de fleurs ❏ ?

Donnez quelques exemples, traduisez-les en français.

Avec la traduction, ils perdent très probablement toute leur valeur affective.

....

....

....

2. Voici des mots doux du français. Trouvez l'intrus.

Mon chat – Ma puce – Mon chéri/ma chérie – Mon lapin – Mon ours – Ma colombe – Ma biche – Mon chou

Quels noms sont les plus représentés : les astres ❑   les animaux ❑   les fleurs ❑ ?

4 **Aline écrit un petit mot à son amoureux pour lui dire qu'elle l'aime toujours autant. Utilisez quelques mots des listes de l'exercice précédent.**

➜ *Florian, mon chéri, sais-tu que je t'aime toujours davantage ? Ta colombe.*

....

....

5 **Lisez et remplacez la transcription phonétique par les lettres correspondantes.**

Cette r[e]gion [ɛ] b[ɛ]lle. ➜ *Cette région est belle.*

1. La v[e]rit[e] t'int[e]r[ɛ]sse ? ....

2. Vous pourri[e]z nous offrir l'ap[e]ritif ! ....

3. Tu as trouv[e] la bonne r[e]ponse ? ....

4. On prend un v[ɛ]rre ? ....

5. [ɛ]lle n'a pas vu Agn[ɛ]s. ....

Grammaire

6 **Transformez les phrases comme dans l'exemple (impératif + pronom personnel complément direct).**

Accompagnez à la gare (elle). ➜ *Accompagnez-la à la gare.*

1. Écrivons tout de suite (l'article). ....

2. Attends un instant (je). ....

3. Appelez après huit heures (Laurent et moi). ....

4. Invite à la maison (ton collègue). ....

5. Lisez attentivement (ces pages). ....

❼ Utilisez les pronoms compléments indirects, comme dans l'exemple.

Téléphone au moins une fois par semaine (tes parents) !
➜ *Téléphone-leur au moins une fois par semaine !*

1. Racontez ce qui s'est passé (je).

....

2. Dis ce que tu en penses (François et moi).

....

3. Expliquez les difficultés (vos collègues).

....

4. Parlez de tous ces problèmes (la directrice).

....

5. Recommande de rentrer tôt (Guillaume).

....

❽ Lisez ce texte. Soulignez les pronoms personnels compléments. Puis, mettez les verbes à l'impératif.

Tu la suis sans la déranger, tu lui souris de temps en temps, tu lui demandes son nom, tu l'invites au café, tu lui proposes un rendez-vous, tu la regardes amoureusement dans les yeux. Le soir, en rentrant, tu lui écris un petit mot gentil.

Suis-la sans la déranger..

....

....

....

....

....

❾ Mettez les verbes entre parenthèses à l'impératif et remplacez les mots répétés par *y* ou *en*, selon le cas.

Vous reprenez du champagne ? (Reprendre) du champagne, il est excellent !
➜ *Reprenez-en, il est excellent !*

1. Vous allez à la mer ? (Aller) à la mer, la journée est superbe.

....

2. Tu veux des cerises ? (Prendre) des cerises, elles sont bonnes.

....

3. Retourne chez ta mère, (aller) chez ta mère immédiatement !

....

4. Est-ce que nous allons au cinéma ? (Aller) au cinéma, il est déjà tard.

....

5. Quels sont tes problèmes ? (Parler) de tes problèmes à Jules.

....

❿ Donnez des conseils à un(e) ami(e) timide qui n'arrive pas à déclarer son amour à la femme/l'homme de sa vie.

Se montrer sûr de soi. ➜ *Montre-toi sûr de toi.*

1. Chercher les occasions de la/le rencontrer. ....

2. Lui parler de son enfance. ....

3. Ne pas être pressé(e). ....

4. Inviter la/le à faire une promenade à vélo. ....

5. Faire attention à ne pas l'appeler par le prénom d'un(e) autre. ....

⓫ Mettez ces phrases à la forme négative de l'impératif et remplacez les compléments soulignés par les pronoms correspondants.

(Nous) inviter à la maison, Bernard. ➜ *Ne l'invitons pas à la maison !*

1. (Tu) écouter ses conseils. ....

2. (Vous) acheter du pain. ....

3. (Vous) dire rien aux gendarmes. ....

4. (Vous) aller à ce rendez-vous. ....

5. (Tu) boire de l'alcool. ....

⓬ Retrouvez les questions directes.

Elle demande aux enfants s'ils peuvent acheter du lait. ➜ *Pouvez-vous acheter du lait ?*

1. Il veut savoir s'il va faire beau demain, d'après la météo. ....

2. Tu me demandes si j'ai le nouveau numéro de Gilles. ....

3. Vous me demandez si je l'ai rencontré au bureau. ....

4. Elle lui demande quand il va rentrer. ....

5. Ils veulent savoir ce qui s'est passé. ....

⓭ Martine et Christian se sont disputés. Mais, un dimanche, ils se croisent dans la rue... Lisez et transformez les questions directes en questions indirectes avec des verbes comme *dire, savoir, (se) demander...*

– Qu'est ce que je dois faire : le saluer ? faire semblant de ne pas le connaître ?
➜ *Martine se demande ce qu'elle doit faire : si elle doit le saluer ou faire semblant de ne pas le connaître.*

1. – Tiens, Martine, où vas-tu ?

Christian lui demande..

2. – Pourquoi me poses-tu cette question ?

Elle veut..

3. – Est-ce que tu veux m'accompagner voir l'exposition *Fernand Léger* ?

Il..

4. – Est-ce que ça te fait vraiment plaisir ?

Martine..

5. – Tu veux que j'insiste pour que tu acceptes ?

Il..

Expression

Jean-Paul Cocat
14, rue Gabriel-Péri
38000 Grenoble

Grenoble, le 2 mars

À tous les anciens de la promo[1] 1993

ATTENTION :
CHANGEMENT DE DATE DE NOTRE RÉUNION ANNUELLE !

Chers amis,

Nous ne pourrons pas nous rencontrer au début de l'été comme les autres années. Vous savez peut-être déjà que trois de nos camarades quittent très prochainement la France pour plusieurs années : Pierre Masperi va travailler à Milan dans une entreprise d'informatique, André Garcia s'installe au Brésil, dans la ville où habite la famille de sa femme, enfin Nicole Ferrand part enseigner le français en Autriche.
Il devient très difficile de réunir toute notre promo et c'est peut-être la dernière fois que nous aurons l'occasion de nous retrouver au complet. Alors, notez bien la date du 25 mai et venez tous à notre petite fête traditionnelle. C'est un samedi.
Vous connaissez ma maison. Elle est en pleine nature, au-dessus de Grenoble. Je vous y attends vers midi. Téléphonez-moi pour confirmer que vous venez. N'apportez rien à manger ou à boire : ma femme et moi préparerons un grand buffet froid et nous pourrons faire un barbecue dans le jardin. La maison est grande, il y a de nombreuses chambres d'amis. Les camarades qui habitent loin de Grenoble pourront rester pour la nuit de samedi à dimanche s'ils le veulent.

À bientôt, donc

Jean-Paul

---

1. Promo : *abréviation de promotion* ; ensemble d'étudiants qui ont fini ou commencé leurs études la même année.

⑭ Lisez le texte et répondez aux questions.

1. Qui a écrit cette lettre ? ....

2. À qui s'adresse-t-elle ? ....

⑮ Repérez dans le texte :

1. l'information principale :

....

2. les informations sur les amis qui partent à l'étranger :

....

....

3. les informations sur la maison de Jean-Paul :

....

....

DELF **16** Plusieurs de vos amis ont quitté votre ville. Vous écrivez à un de vos amis pour lui dire où ils sont allés. Complétez le plan.

Tu sais peut-être déjà que .... ont quitté ....

.... est parti ....

.... s'est installé à ....

.... habite actuellement à .... et il ....

....

Conversations

CULTURE EN LIBERTÉ

1 **1. Lisez cette conversation téléphonique et dites :**

a. qui parle : .... **b.** à qui : ....

c. pourquoi : ....

d. quand : .... **e.** où : ....

JULIE : Salut, Alexandre. Je te réveille ?

ALEXANDRE : Non, Julie, j'allais me lever… J'ai un rendez-vous à dix heures.

JULIE : Tu dois vraiment y aller ? Écoute, j'ai des amis qui vont inaugurer leur maison à la campagne, à une vingtaine de kilomètres de Toulouse…

ALEXANDRE : Et alors ?

JULIE : Tu sais, moi, j'adore la campagne et j'aimerais que tu…

2. Complétez la conversation (au moins quatre répliques). Sachez qu'Alexandre déteste la campagne !

....

....

....

....

DELF **2** **À partir de ce récit, imaginez la conversation et dites d'abord :**

1. où elle a lieu : ....

2. quand : ....

3. entre qui et qui : ....

4. pourquoi : ....

Ils se sont rencontrés le soir du 14 juillet. Le village était en fête, on dansait sur la place. Elle l'a vu et l'a invité à danser. Lui, timide, a d'abord refusé. Elle a insisté et lui a proposé de lui apprendre à danser. Ils ont dansé toute la nuit. Ils ont parlé du temps, des vacances. Puis elle lui a demandé son nom, ce qu'il faisait dans la vie, s'il aimait les chevaux. C'est comme ça qu'elle a su qu'il s'appelait Gérard, qu'il était chauffeur de taxi et qu'il adorait les chevaux. Ils se sont donné rendez-vous à l'hippodrome, pour le samedi suivant. Delphine a compris ce soir-là que Gérard était l'âme sœur.

Arts

· · · · · · · · · ·

Musique, peinture, théâtre… : quelle passion !

Andréa, couturière, s'est mise à l'écriture. Claude, dermatologue, fait du théâtre. Après ses cours
de maths, Charles-Antoine peint. Ce qui les unit ? La passion et le plaisir. Ils sont tous amateurs :
amoureux fous de leur art. Surprenant ? Pas du tout.
Depuis vingt-cinq ans, les pratiques artistiques des Français connaissent un essor spectaculaire, même si ceux
qui arrêtent sont nombreux. Mais beaucoup d'entre eux (après la crise de l'adolescence)
reviendront aux arts, à la musique en particulier. On sait aussi que les femmes pratiquent davantage
les arts que les hommes.

· · · · · · · · · ·

1 **Lisez le texte ci-dessus puis répondez aux questions.**

   1. Qu'est-ce qui pousse les Français à pratiquer un art ?

   2. D'après vous, *connaître un essor* signifie :

      a. faire connaissance ❑

      b. sortir avec quelqu'un ❑

      c. se développer ❑

   3. Quel est le côté le moins positif dans ces pratiques ?

   4. Est-ce que cette passion pour les arts va durer toute une vie, sans interruption ?

Proportion des Français âgés de 15 ans et plus qui ont pratiqué au cours de leur vie des activités artistiques			
en %	Hommes	Femmes	Total hommes / femmes
Guitare	9	7	8,0
Piano	8	15	11, 5
Flûte à bec	6	6	6,0
Autres instruments	13	8	10, 5
Chant	10	15	12, 5
Théâtre	7	9	8,0
Danse	5	17	11,0
Peinture	8	11	9, 5
Sculpture	2	1	1, 5
Dessin	12	14	13,0
Activité d'artisanat	5	9	7,0
Caméscope, caméra	25	17	21,0

Source : ministère de la Culture.

2 **Observez le tableau ci-dessus.**

   1. Repérez :

      a. le nom des quatre activités artistiques les plus pratiquées par l'ensemble des Français
et leur pourcentage.

      b. les quatre activités plus « masculines », les quatre plus « féminines ».

2. Complétez ces quelques lignes de commentaire sur l'enquête présentée.

D'après ce sondage, on peut dire qu'en général les Français... En ce qui concerne plus particulièrement les hommes, il montre que... Pour les femmes... Points communs entre les deux sexes : l'amour pour... C'est... qui est en dernière position, avec... %.

3. 1. Faites la même enquête en classe et dans votre entourage.

2. Mettez en commun les données.

3. Reportez-les en pourcentage dans un tableau.

4. Rédigez un commentaire sur le modèle du texte précédent.

POUR L'AMOUR DE LA MUSIQUE

À 30 ans, Patricia et Bernard ont deux enfants et ils oublient un peu la musique... Puis Patricia décide de se mettre au violon classique. Elle trouve enfin un professeur qui la laisse jouer avec les oreilles plutôt qu'en lisant la partition. Elle découvre Bach et Vivaldi.

De son côté, Bernard monte avec ses collègues une association de musique. L'entreprise la finance et ils créent un groupe de rock : « On s'est orienté vers des bossas-novas, des airs très connus, pas trop difficiles », dit-il. Pour la Fête de la musique, ils jouent à la cafétéria de l'entreprise : ils sont bien accueillis. Maintenant, toutes les occasions sont bonnes pour se retrouver et jouer : l'inauguration d'une exposition, un spectacle pour recueillir des fonds pour le tiers monde... Bernard et Patricia déclarent : « Travailler un morceau de musique, c'est un entraînement comme celui des sportifs. Mais nous, on est des amateurs, le vrai plaisir, c'est d'être avec les autres, de s'écouter, de réussir des choses ensemble. »

---

3 Le texte ci-dessus raconte une histoire classique : celle d'un couple qui redécouvre l'amour pour la musique. Lisez-la et répondez aux questions.

1. Quelle type de musique a choisi Patricia ?

2. Suit-elle un cours traditionnel de musique ?

3. Comment Bernard redécouvre-t-il la musique ? Qu'est-ce qu'il crée ? Avec qui ?

4. Qui subventionne les activités de son association musicale ?

5. Où a joué son groupe de rock, pour la première fois ? À quelle occasion ?

6. Quelles sont les raisons de cette passion pour la musique ?

7. Est-ce qu'elles vous surprennent ?

8. Demandez à vos amis qui pratiquent des activités artistiques quelles sont leurs motivations. Discutez-en en classe.

ARTISTES AMATEURS ET ÉCONOMIE

100 000 emplois sont alimentés par les activités liées à la pratique des arts.

Un nombre important, si on le compare aux effectifs du secteur hôtelier qui atteint environ les 250 000 unités. 60 000 personnes sont employées pour former les amateurs (cours collectifs ou individuels, stages...). 20 000 le sont à la production et à la vente de matériel. Le reste va aux activités intermédiaires (organisation, secrétariat...). Petite curiosité : le seul enseignement de la musique nécessite 40 000 professeurs !

Les dépenses des Français amateurs, dans le domaine des arts, sont de 7,5 millions de francs. La somme serait beaucoup plus élevée si elle prenait en compte les dépenses pour les moins de 15 ans. Si l'on y ajoute les achats de matériel des cinéastes et des vidéastes amateurs, environ 3 milliards, ces dépenses dépassent largement les 10 milliards (toutes les dépenses pour la culture et les loisirs sont de l'ordre de 330 milliards).

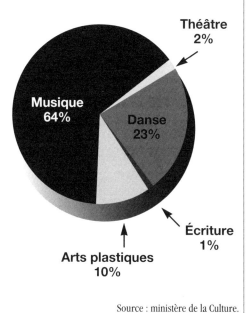

Répartition du nombre de personnes exerçant une activité rémunérée liée aux pratiques des arts.

Théâtre 2%

Musique 64%

Danse 23%

Écriture 1%

Arts plastiques 10%

Source : ministère de la Culture.

4 **1. Lisez le texte ci-contre. Complétez le tableau suivant.**

Nombre total des emplois :   ....

Formateurs :   .... dont .... professeurs de ....

Producteurs et vendeurs :   ....

Organisateurs, employé :   ....

Dépenses dans le domaine des arts :   ....

Dépenses en matériel (cinéma, vidéo) :   ....

Dépenses totales :   ....

2. Observez le schéma ci-dessus et répondez aux questions.
a. Quel est l'art qui « crée » le plus d'emplois ?
b. Quels sont les autres arts ? Classez-les selon le nombre d'emplois qu'ils créent.

3. Répondez par écrit à ces deux questions.
a. Y a-t-il des cours d'activités artistiques dans votre ville ? En avez-vous suivi certains ? Pourquoi ?
b. Qui sont les organisateurs : les associations d'amateurs, des artistes, la municipalité ?

CONTACTS

 Vocabulaire et orthographe

❶ Cherchez un autre mot (adjectif, adverbe, verbe...) de la même famille que les mots suivants. Vous pouvez vous aider d'un dictionnaire.

1. Un quotidien. ....

2. Un mensuel. ....

3. Un journal. ....

4. Un média. ....

5. Un reportage. ....

6. Un spectateur. ....

7. Un programme. ....

❷ 1. Associez les mots suivants à leur définition : *un générique – une chaîne de télévision – un audiomètre – un plateau.*

a. Espace où les acteurs ou les présentateurs se trouvent pendant une émission.

b. Ensemble de programmes d'émissions diffusées sur un même canal.

c. Appareil qui mesure l'audience des chaînes de télévision.

d. Séquence d'un film (ou d'une émission de télévision) où sont présentés les noms des acteurs, des producteurs et de tous ceux qui ont collaboré à sa réalisation.

2. Sur le modèle des définitions ci-dessus, rédigez les définitions de :

a. Un(e) présentateur/trice. ....

....

b. Une rédaction (d'un journal, d'une chaîne). ....

....

c. Une audience. ....

....

❸ Complétez les phrases à l'aide des mots suivants : *un hebdomadaire – téléspectateurs – l'envoyé spécial – des documentaires – les téléfilms – l'émission.*

.... *fait beaucoup d'interviews dans la rue, parmi les gens ordinaires.*

➜ *L'envoyé spécial fait beaucoup d'interviews dans la rue, parmi les gens ordinaires.*

1. Tu sais, parfois je préfère m'acheter .... plutôt qu'un quotidien. On a tellement peu de temps pour lire !

2. .... culturelle du vendredi soir s'interrompt pendant l'été. Dommage !

3. Récemment, on a créé une chaîne de télévision qui ne propose que .... sur les animaux. Les enfants en sont ravis !

4. .... de la série *Maigret* sont interprétés par Bruno Crémer. C'est un très bon acteur !

5. Dimanche 1er juin, France 2 a dépassé les autres chaînes pour l'indice d'audience : quinze millions de .... ont suivi l'émission consacrée aux élections !

❹ **Lisez et soulignez le son [ə], comme dans _mercredi_.**

1. Dans ce dialogue, relevez les phrases interrogatives.

2. Regarde-moi !

3. Nous avons refusé son offre.

4. Le vendredi soir ? Ou je sors ou je me repose !

5. Tu as remercié Geneviève ?

Grammaire

❺ **Complétez par _où_ et _dont_, selon le cas.**

1. La librairie .... je vais depuis des années a été transférée dans un autre quartier.

2. La revue d'art .... je t'avais parlé a changé de directeur.

3. Elle connaît bien ce journaliste : c'est une personne .... on dit beaucoup de bien.

4. Le jour .... je suis passé à la télévision, j'étais très nerveux.

5. C'est un article .... l'on trouve des informations intéressantes.

❻ **Formez des phrases avec _c'est/ce sont... qui/que_.**

La revue/mon mari reçoit en abonnement. ➜ *C'est la revue que mon mari reçoit en abonnement.*

1. La clé/ouvre la porte du jardin.

....

2. Le magazine de télévision/les Français préfèrent.

....

3. Les grandes vacances/faire baisser les entrées au cinéma.

....

4. Le prix des journaux/l'on a augmenté ce mois-ci.

....

5. France Info/diffuse de l'information continue.

....

❼ **Formez des phrases avec *c'est... où/dont*.**

Le voyage/nous avons tellement rêvé. → *C'est le voyage dont nous avons tellement rêvé.*

1. Le studio/a été fait le montage de l'émission.

....

2. La troupe/on a parlé dans toute la presse.

....

3. La rubrique/vous pouvez trouver des informations économiques.

....

4. Euronews la chaîne/l'on émet en plusieurs langues européennes.

....

5. Une information/je n'arrive pas à trouver la source.

....

❽ **Remplacez le nom qui précède *qui/que* par le pronom démonstratif qui convient.**

Les téléspectateurs qui suivent les émissions de dessins animés sont en grande partie des enfants.

→ *Ceux qui suivent les émissions de dessins animés sont en grande partie des enfants.*

1. L'acteur que tout le monde veut photographier est Jean Reno.

....

2. La personne que tu viens de rencontrer est une musicienne connue.

....

3. Les abonnés qui ne respectent pas les délais de paiement paieront une amende.

....

4. On passe beaucoup de films en ce moment : les films que je préfère sont les policiers.

....

5. L'élève qui sort le dernier doit fermer la porte.

....

❾ **Formez cinq phrases à partir de la grille suivante.**

Celui que	préférer		les spots publicitaires pour … *(Lindt)*
Celle que	aimer (davantage, le plus)	c'est	le téléfilm … *(du lundi)*
Ceux que	regarder	ce sont	le magazine d'actualité … *(Capital)*
Celles que	suivre		la météo … *(du vendredi soir)*

→ *Celui que je préfère, c'est le téléfilm du lundi.*

....

....

....

....

....

⑩ Devinettes. Complétez par *celui/celle… qui/que/dont*.

Écrivains français : qui est ………… a écrit Les Misérables *?*

→ *Qui est celui qui a écrit* Les Misérables *?*

1. Femmes scientifiques : qui est ………… le nom est au Panthéon ?

2. Présidents de la République : qui est ………… les Français ont réélu en 1988 ?

3. Chanteuses : qui est ………… chantait *La vie en rose* ?

4. Rois de France : qui est ………… le règne a duré de 1643 à 1715 ?

5. Saintes : qui est ………… l'on appelle la pucelle d'Orléans ?

Victor Hugo, Marie Curie, François Mitterrand, Édith Piaf, Louis XIV et Jeanne d'Arc.

⑪ Complétez cette conversation par un pronom démonstratif suivi de *qui/que*.

1. – Et bien, Madame, quelle est votre émission préférée ?

2. – …………………… traite de tous les problèmes de santé, vous savez ?

3. – Et en famille, avez-vous les mêmes goûts ? Quelles chaînes regardent votre mari et vos enfants ?

4. – Ah, mon mari regarde …………………… passe du sport, la chaîne douze, je crois. Et …………………… suivent mes enfants sont BBC et CNN. C'est pour leur anglais, vous comprenez.

5. – Aimez-vous un présentateur plus qu'un autre ?

6. – Bien sûr. …………………… je préfère est Henri Niersan.

7. – Et parmi les présentatrices de la météo ?

8. – Ah, alors là, je n'ai pas de doutes. …………………… j'aime le plus est Nathalie Thiouer !

Unité 3

CONCTATS

Expression

ENVOYÉ SPÉCIAL :

On aime

L'émission *Envoyé spécial* fête son 300ᵉ numéro. Pour la première fois, un magazine d'information s'impose en première partie de soirée. C'est l'heure où les autres chaînes diffusent des divertissements, des séries ou des films. Le 17 janvier 1990, jour de la première, Paul Nahon et Bernard Benyamin, les deux journalistes qui ont créé *Envoyé Spécial* ne pensaient pas « durer » plus de trois semaines. Contre toute attente, ça a marché et ça marche toujours.

Comment faire passer des reportages sur les réalités dures de la vie à l'heure de la distraction et de la fiction ? Quand on pose cette question à Paul Nahon et Bernard Benyamin, ils préfèrent laisser la parole aux autres. Ceux qui travaillent avec eux parlent de rigueur… et de plaisir : « Paul et Bernard veulent donner à voir et à réfléchir. Ils n'oublient jamais la règle principale du journalisme : le respect de l'information. Mais ils savent aussi intéresser et amuser. »

⑫ Lisez le texte et cochez la bonne case.

Ce texte a été écrit par : un journaliste ☐
un homme politique ☐
un téléspectateur ☐

⑬ Dans le premier paragraphe, relevez les débuts de chaque phrase.

L'émission *Envoyé spécial* – pour la première fois – ....

....

⑭ La deuxième partie du texte commence par une question.

1. Qui pose la question ? ....

2. À qui ? ....

3. Qui répond ? ....

⑮ Vous devez écrire un petit texte pour le journal de votre entreprise (de votre école, de votre quartier).
Complétez les débuts de phrases à l'aide des éléments suivants, qui sont donnés dans le désordre et d'autres éléments que vous inventerez.

le succès est toutes les semaines au rendez-vous – la musique pour tous – des millions d'auditeurs peuvent écouter de la musique classique – fête son troisième anniversaire.

L'émission ....

Pour la première fois, ...

Contre toute attente, ...

DELF **16** **Vous aimez beaucoup une émission (de radio ou de télévision). Le journal de votre entreprise vous demande d'écrire un petit texte sur cette émission. Complétez le texte ci-dessus en vous aidant des éléments proposés.**

L'émission ………… fait rêver (tous les jours, toutes les semaines, tous les mois) des millions (milliers) d'auditeurs (téléspectateurs).

C'est la première fois qu'une émission (de musique, de danse, de chants, de théâtre…) a autant de succès.

On peut se demander quelle est la recette du succès, pourquoi tant de gens regardent (écoutent) cette émission.

La réponse n'est pas simple. Laissons la parole aux (auditeurs, téléspectateurs) : « ………

……

……

……

……

 Conversations

CULTURE
EN
LIBERTÉ

❶ Lisez et mettez les répliques dans le bon ordre.

Régis est comédien. Il a suivi un stage à l'école d'art dramatique de Paris. Son amie Véronique lui pose des questions sur son expérience.

1. – Alors, tu as fini ton stage de comédien ?

2. – La condition, c'est d'avoir une expérience théâtrale. Et moi, j'avais déjà joué dans quelques pièces à Limoges et à Metz.

3. – Oui, très bien. On avait des enseignements de diction, d'expression corporelle, d'improvisation et, bien sûr, de la formation classique avec Molière et Shakespeare.

4. – Oui, c'est fait. J'ai déjà une proposition de la part de TF1…

5. – Le cours était bien organisé ?

6. – Mais explique-moi, comment tu as pu suivre le cours de *Studio 34* ? On n'accepte pas tout le monde…

❷ 1. Lisez cette information. Relevez : titre, nom de l'école, nom du directeur, condition d'admission, artistes et professionnels qui y sont passés…

POUR LES PROFESSIONNELS DU SPECTACLE

ÉCOLE JACQUES LECOQ.

Créée en 1956 ; rue du Faubourg Saint-Denis, 75010 ; 01-47-70-44-78.

Pour les élèves qui ont déjà fait du théâtre. Ils ont 26 ans minimum.

Durée des études : deux ans. Il n'y a pas d'examen d'entrée mais un trimestre d'essai. 30 heures par semaine. Entre 20 et 30 par classe. 9 700 F par trimestre. Les lieux sont magiques : l'ancien Central de Boxe des années 30. Notoriété et fréquentation internationales : Yasmina Reza, Eduardo Manet, Ariane Mnouchkine, Pierre Debauche, Antoine Vitez y sont passés, tantôt comme élèves, tantôt comme enseignants. Sans compter les troupes étrangères. Lecoq est un « pédagogue du corps » mais accueille aussi des écrivains, des metteurs en scène.

---

2. Complétez l'entretien de Jacques Lecoq avec un journaliste de la radio.

– Bonjour, Monsieur Lecoq. Nous sommes très honorés de vous avoir sur notre plateau. Dites-nous, c'est le théâtre qui a été votre grande passion ?

– Oui, depuis mon enfance.

– Et c'est pour cela que vous avez voulu créer une école de théâtre ?

– Exactement, j'ai voulu consacrer ma vie à enseigner l'art dramatique.

– Pouvez-vous nous parler de votre école ? Beaucoup de nos jeunes auditeurs sont inté-ressés ....

....

– L'école a été créée en ....

....

DELF ❸ **Voici quelques informations sur le parcours professionnel de M. Baldet. Lisez-les puis imaginez la conversation de M. Baldet avec un jeune collègue. Celui-ci, très curieux, veut connaître son histoire professionnelle.**

13 ans : typographe dans l'imprimerie de son oncle qu'il admirait beaucoup.

19 ans : obtient son bac en suivant des cours le soir.

22 ans : directeur de l'imprimerie de famille.

25 ans : attiré par le journalisme, envoie un article sur le Tour de France à un quotidien sportif ; l'article est accepté.

Actuellement, c'est l'un des meilleurs journalistes sportifs, spécialisé dans le cyclisme. Mais il passe de temps en temps à l'imprimerie, son « premier amour » !

Vocabulaire et orthographe

BOÎTE
À
OUTILS

❶ 1. Voici une liste de mots qui font penser à la fête. Chassez les intrus. Aidez-vous d'un dictionnaire, si nécessaire.

Une réception – un vernissage – une chambre – une boum – une plage – une justification – un anniversaire.

2. Rédigez une définition pour les mots qui font penser à la fête.

Réception (f.) = réunion mondaine, officielle.

❷ Complétez à l'aide des mots suivants : *anniversaire – vernissage – fête – soirée – boum.*

1. Nous avons organisé une .... au restaurant entre collègues. Venez avec nous.

2. Est-ce que tu es prise ce dimanche ? Parce qu'il y a une .... chez Loïc, avec tous les copains de notre classe.

3. Ça nous ferait plaisir de vous avoir au .... de l'exposition de peinture de notre fils !

4. On fête notre .... de mariage dans notre maison à la mer. Tu viens ?

5. Mardi, c'est la Saint-Jean, c'est ta .... Je t'invite au restaurant, Jean ?

❸ Complétez ces invitations.

1. Tu es .... jeudi soir ?

2. Je t'.............. au restaurant.

3. Venez .... à la maison dimanche !

4. Qu'est-ce que tu .... demain soir ?

5. Nous pouvons nous donner rendez-vous ....

6. On .... une soirée entre amis samedi. Tu viens ?

❹ Lisez ce texte et complétez-le par : *a – as – à – ah.*

– Jeanne .... oublié de nous rappeler. Je vais lui téléphoner.

– Ce n'est pas la peine : elle est allée .... Moscou, pour six mois.

– .... ! Et tu l'.............. su comment ? Elle te l'.............. dit ?

– Oui, mais elle m'.............. priée de ne rien te dire. Elle .... de drôles d'idées parfois !

– .... oui. Pour ça, je suis d'accord avec toi !

Grammaire

❺ 1. Écrivez l'infinitif de ces formes verbales.

Tu voulais, elle ferait, tu viendras, nous voulions, je voudrais, vous vouliez, ils feraient, tu voudrais, nous ferions, tu faisais, vous voudriez, elles viendraient.

....

2. Classez les formes verbales ci-dessus selon leur temps.

Futur : ....

Imparfait : ....

Conditionnel présent : ....

....

❻ Complétez ces phrases avec le conditionnel des verbes suivants : *souhaiter – faire – aller – pouvoir – passer – venir.*

1. Est-ce que ça te .... plaisir de venir au cinéma ?

2. Nous .... en parler à M. Collart, mademoiselle.

3. Tu .... me fixer un rendez-vous, s'il te plaît ?

4. Ils .... d'abord en Espagne, puis ils .... au Maroc.

5. Vous ne .... pas avec moi au concert ?

❼ Mettez ces phrases au passé comme dans l'exemple. Attention à la concordance des temps !

Ils ne savent pas si Raymonde acceptera l'invitation.
➜ *Ils ne savaient pas si Raymonde accepterait l'invitation.*

1. Elle se demande si ses voisins déménageront.

....

2. Ils se demandent si l'avion partira à l'heure.

....

3. Tu ne sais pas si tu vas être reçu au bac.

....

4. Vous vous demandez si vous êtes au bon numéro de téléphone.

....

5. Olivier ne sait pas si la soirée musicale sera organisée par la mairie.

....

8 **Conjuguez les verbes entre parenthèses comme il convient.**

1. Tu (ne pas savoir) ……….. si Jacques téléphonait de chez lui.

2. Nous nous demandions si à Londres il (faire) ……….. aussi chaud qu'à Paris.

3. Elle n'a pas encore appris si sa candidature (être acceptée) ……….. .

4. Je (se demander) ……….. si je (devoir) ……….. répondre à ses vœux.

5. Il (ne jamais savoir) ……….. si son meilleur ami (vivre) ……….. encore en Finlande.

6. Elles se sont demandées si tout le monde (pouvoir) ……….. participer à la fête.

9 **Lisez ce dialogue entre deux collègues, Arnaud et Cécile. Transformez-le en discours indirect.**

ARNAUD : Je vais à la mer, samedi, à Saint-Malo. Tu viens ?

CÉCILE : Ça me fait vraiment plaisir. Tu passes me prendre en voiture ?

ARNAUD : D'accord, à quelle heure ?

CÉCILE : Vers sept heures. À samedi alors, et merci pour l'invitation !

Arnaud a dit à Cécile qu'il allait à la mer, à Saint-Malo. Il lui a demandé si ………………………

10 **Complétez ces phrases avec les pronoms relatifs composés qui conviennent.**

Les raisons ……….. il est rentré de l'étranger ne sont pas claires.
➜ *Les raisons pour lesquelles il est rentré de l'étranger ne sont pas claires.*

1. La pièce ……….. nous allons organiser notre soirée est le grand salon.

2. Je pensais que Daniel était la personne ……….. il fallait s'adresser.

3. C'est un village ……….. on arrive par une route étroite.

4. Le parc ……….. je fais du vélo a été ouvert le mois dernier.

5. Voilà les amis ……….. nous avons acheté cette plante.

11 **Reliez les deux phrases avec un pronom relatif composé précédé, si nécessaire, d'une préposition.**

Ces bijoux sont des souvenirs. Je tiens beaucoup à ces bijoux.
➜ *Ces bijoux auxquels je tiens beaucoup sont des souvenirs.*

1. Voici l'adresse de Lise. J'ai envoyé mon invitation à cette adresse.

……………………………………………………………………………………………………

2. Vous traversez la place. Au milieu de cette place il y a une très belle statue.

……………………………………………………………………………………………………

3. Ce sont des amis sincères. Nous pouvons compter sur ces amis.

……………………………………………………………………………………………………

4. Avez-vous reçu le faire-part ? Dans ce faire part, il annonce son mariage.

……………………………………………………………………………………………………

5. C'est le garçon. Elle est sortie avec ce garçon.

……………………………………………………………………………………………………

 *Expression*

C'est la fête aux Galeries[1]

Les Galeries Lafayette fêtent cette année le centième anniversaire de leur naissance. Les festivités se succéderont[2] jusqu'à Noël. Au programme, la 17e édition du Festival de la mode, qui débute cette semaine. C'est l'occasion[3] de s'offrir une veste Castelbajac[4] ou une robe Givenchy[4] à 1 500 F, une autre signée Lacroix[4] à 990 F.

Pour ses 100 ans, les Galeries Lafayette ont fait appel au metteur en scène américain Robert Wilson. Il a organisé une exposition, sur 1 500 m2, composée de neuf tableaux, appelés *Désert*, *Pique-nique*, etc., qui mettent en scène des vêtements actuels et anciens, conjuguent rêve et réalité. Organisée dans ses plus petits détails[5], cette exposition change le regard du spectateur sur la mode. Vous avez trois semaines pour en faire l'expérience.

Du 9 au 31 octobre, de 10 heures à 18 heures,
3e étage des Galeries Lafayette-Haussmann, Paris 9e.

1. Galeries Lafayette : nom d'un grand magasin. 2. Se succéder : se suivre, l'un après l'autre. 3. Occasion : circonstance.
4. Castelbajac, Givenchy et Lacroix sont de grands couturiers français. 5. Détails : éléments d'un ensemble.

⓬ Répondez aux questions.

1. Qui a écrit ce texte ?

l'office du tourisme ❑   un journaliste ❑   Robert Wilson ❑

2. À qui s'adresse-t-il ?

aux lecteurs d'un journal ❑   aux vendeurs des Galeries Lafayette ❑   à Bob Wilson ❑

⓭ Repérez :

1. dans la première phrase l'information principale du texte :

....

2. dans le 1er paragraphe tous les éléments qui complètent cette information :

....

....

....

DELF ⓮ Le journal de votre entreprise (école, quartier), vous a demandé d'écrire un petit texte pour l'anniversaire d'un festival, d'une entreprise, d'un restaurant, d'un club, etc. Utilisez le plan du texte ci-dessous et remplacez les expressions soulignées par les mots adaptés.

Les Galeries Lafayette fêtent cette année le centième anniversaire de leur naissance. Les festivités débuteront dès le 20 décembre. Au programme, la 17e édition du festival de la Mode. C'est l'occasion de s'offrir un vêtement signé Lacroix.

DELF ⓯ Complétez le texte de l'exercice précédent en écrivant un paragraphe pour donner des informations sur une animation particulière. Faites comme dans le second paragraphe du texte sur la fête aux Galeries Lafayette.

 *Conversations*

❶ Complétez ces deux conversations à l'aide des répliques suivantes.

a. – C'est très aimable à vous, mais ce n'est pas possible.

b. – Entendu, à tout à l'heure.

c – Oui, ce serait parfait. Merci bien, vous êtes très aimables.

d. – Ah non, je n'ai pas envie, je suis fatigué.

A. 1. – Nous aimerions vous avoir à la maison samedi soir.

– ....

2. – Et si on reportait ça au samedi suivant ?

– ....

B. 3. – On va manger une pizza, ce soir ?

– ....

4. – Je viens chez toi alors, et j'apporte de quoi boire. Toi, tu prépares de quoi manger.

– ....

❷ **Complétez ce dialogue à l'aide des suggestions.**

Jean-Luc invite Blanche au cinéma.

➜ *– Bonjour Blanche. Tu es libre ce soir ? Je t'invite au cinéma.*

1. Elle refuse et explique les raisons de son refus.

– ....

2. Jean-Luc insiste et lui propose d'aller la chercher en voiture.

– ....

3. Elle accepte, le remercie, lui demande l'heure du rendez-vous.

– ....

4. Il répond et prend congé.

– ....

DELF ❸ **Vous avez reçu cette invitation. Vous téléphonez à un(e) ami(e) pour l'inviter à vous accompagner à ce vernissage. N'oubliez pas de donner quelques informations sur l'artiste : jeune peintre d'origine italienne, peinture très originale, belles couleurs...**

> *La galerie Charles et André Reitz*
>
> a le plaisir de vous inviter au vernissage de l'exposition
>
> ## *Isabelle Rigamonti*, peintre
>
> le samedi 14 juin, de 19 heures à 22 heures, en présence de l'artiste.
>
> Ouvert tous les jours, du 14 juin au 2 juillet, de 11 heures à 19 heures (sauf dimanche et lundi)
> 34, rue de l'Université - 75007 Paris – Tél. et télécopie : 01 42 60 22 37

VAL DE LOIRE

Vous avez décidé de visiter la vallée de la Loire. Pour préparer votre voyage, vous avez reçu une documentation abondante dont voici les titres :

a. Gastronomie : les spécialités régionales.

b. Le pays des amateurs de vin.

c. La vie de château.

d. Spectacles et loisirs.

e. Points de repère.

▶ **1. Vous aimez la randonnée et la musique, la bonne cuisine et le bon vin. Quels titres vous intéressent ?**

▶ **2. Regardez rapidement les textes et retrouvez le titre correspondant à chaque texte : a, b, c, d ou e ?**

Texte 1 La région Centre-Val de Loire, c'est le pays où on ne s'ennuie jamais. Les amoureux de vieilles pierres apprécieront les châteaux (Chambord, Azay-le-Rideau, Chenonceau, Blois, Amboise, etc.), la cathédrale de Chartres ou les vieux quartiers de Bourges. Les amis de la nature trouveront leur plaisir dans « le jardin de la France » : promenades en forêt, au bord des lacs et des rivières, découverte d'un paradis écologique dans le parc régional de la Brenne. Et tout le monde se réjouira des manifestations en costumes d'époque comme le marché du Moyen Âge à Chinon. Il ne faut pas oublier non plus les nombreux spectacles « son et lumière », les concerts, le festival de Sully…

Renseignements auprès du Comité régional du tourisme et des Loisirs du Centre-Val de Loire
Conseil Régional : 9, rue Saint-Pierre-Lentin – 45041 Orléans Cedex 1

Texte 2 Comme partout en France, il y a dans le Val de Loire des hôtels et des campings de toutes les catégories, des chambres d'hôte, mille possibilités d'hébergement pour tous les goûts et toutes les bourses…

Le « plus » du Val de Loire, c'est qu'on peut aussi choisir de vivre dans un château historique pour partager la vie d'un authentique châtelain pendant quelques jours. Y a-t-il une meilleure manière de découvrir une région avec son histoire et ses traditions ?

Texte 3 Le Val de Loire est une région où on aime bien manger et bien boire. Les amateurs de cuisine simple et soignée y trouveront leur bonheur. C'est le pays de la volaille (il faut manger au moins une fois une fricassée de poulet ou un coq au vin) et du poisson. Qui ne connaît pas la matelote d'anguille au vin rouge ou le « beurre blanc », cette célèbre sauce qui accompagne les poissons comme le brochet ou l'alose ? Les desserts sont également sympathiques : les chaussons aux pommes, les crêpes angevines (garnies de pommes et parfumées au cointreau) et surtout la fameuse tarte des demoiselles Tatin, une tarte aux pommes caramélisées que l'on sert chaude.

Texte 4 • L'épopée de Jeanne d'Arc en 1429 : En pleine guerre de Cent Ans, Jeanne rend visite à Charles VII à Chinon (en mars), elle délivre Orléans des Anglais (le 8 mai). Après cette victoire, elle rencontre à nouveau Charles VII à Sully. Les arguments de Jeanne l'ont convaincu : il se fera sacrer roi à Reims. […]

• À partir du XVe siècle, les rois de France, qui passaient l'hiver à Paris, ont pris l'habitude de séjourner dans le Val de Loire pendant les mois d'été. Ils ne sont pas seuls : toute la cour les suit. Il faut se loger, les fêtes sont nombreuses, il faut beaucoup de place… L'influence de l'Italie se retrouve dans l'architecture des châteaux que l'on construit à cette époque et dans le goût des jardins. Faut-il rappeler que Léonard de Vinci, invité par François 1er, a vécu plusieurs années à Amboise ? Avec le roi François 1er (1515-1547), la cour de France devient un modèle pour le goût et la culture. […]

• On affirme que le Val de Loire est la région de France où on parle le meilleur français. En tout cas, elle a donné de grands hommes de lettres : François Rabelais, le poète Ronsard, le philosophe René Descartes, plus près de nous, les romanciers Honoré de Balzac, Georges Bernanos, Hervé Bazin, et beaucoup d'autres. […]

Texte 5 La première chose qu'on voit quand on arrive dans le Val de Loire, c'est la vigne. Elle est absolument partout, et c'est tant mieux ! Certes, les vins de Loire ne sont pas aussi connus que les bordeaux ou les bourgognes, mais il y en a pour tous les goûts, et ils ne sont pas trop chers. Pour beaucoup de Français, Sancerre, Chinon ou Saumur sont des vins avant d'être des noms de villes. Pour préparer votre voyage, vous pouvez consulter les·guides gastronomiques et la littérature spécialisée, mais il est sûrement plus amusant de partir à l'aventure et de découvrir au hasard de vos excursions le petit vin rouge, rosé ou blanc qui vous laissera un souvenir peut-être plus durable que la visite d'un château !

▶ **3. Soulignez les mots et expressions, les noms de personnes et les noms de lieux qui vous ont aidé à comprendre le sens général des textes.**

▶ **4. Classez les mots et les expressions que vous avez soulignés dans les rubriques suivantes :**

la cuisine	la boisson	les loisirs sportifs	les loisirs culturels	l'histoire	l'hébergement
bien manger	*le vin*	…………	…………	…………	…………
les desserts	…………	…………	…………	…………	…………
…………	…………	…………	…………	…………	…………

▶ **5. Cochez les bonnes réponses.**

a. Le parc régional de la Brenne, c'est :
le « jardin de la France » ❏   un parc écologique ❏

b. Jeanne d'Arc a rencontré Charles VII :
à Chinon ❏   à Orléans ❏

c. Le beurre blanc, c'est :
un dessert ❏   une sauce pour le poisson ❏

d. La meilleure manière de découvrir la région et ses traditions, c'est :
de faire du camping ❏   de passer quelques jours dans un château historique ❏

e. Sancerre, Chinon, Saumur sont des noms :
de villes ❏   de vins ❏

▶ **6. Vous pouvez comprendre des mots que vous n'avez encore jamais vus. Cochez les bonnes réponses.**

a. L'alose et le brochet sont :
des plats avec de la viande ❏   des poissons ❏   des desserts ❏

b. Un châtelain, c'est quelqu'un :
qui a un château ❏   qui travaille dans un château ❏   qui construit des châteaux ❏

c. Les amoureux des vieilles pierres sont des gens qui aiment :
surtout la montagne ❏
l'architecture (les châteaux, les églises…) ❏
la musique classique ❏

d. *Pour tous les goûts et toutes les bourses* signifie :
pour les gens qui ont beaucoup d'argent ❏
pour tout le monde ❏
pour les gens qui n'ont pas beaucoup d'argent ❏

e. Un souvenir durable, c'est un souvenir :
qu'on n'oublie pas ❏   qu'on oublie vite ❏   de vacances ❏

MODES DE VIE

Vocabulaire et orthographe

❶ 1. Soulignez parmi les verbes suivants ceux qui signifient faire la même action à nouveau. Aidez-vous d'un dictionnaire.

Revoir – rembourser – réimprimer – remarquer – remonter – redonner – reconnaître – recevoir – réanimer – réorganiser – répondre.

2. Le préfixe indiquant la répétition s'écrit de deux manières. Lesquelles ? Pour répondre, observez la lettre qui suit le préfixe.

....

....

❷ Complétez les verbes suivants. Ajoutez le préfixe de répétition à la bonne forme.

1. ....apparaître

2. ....naître

3. (se) ....marier

4. ....venir

5. ....expédier

6. ....inviter

7. ....apprendre

8. ....partir

❸ Complétez les phrases suivantes avec les verbes de l'exercice précédent au temps qui convient.

Depuis qu'elle ...., elle a retrouvé la joie de vivre.
➜ *Depuis qu'elle s'est remariée, elle a retrouvé la joie de vivre.*

1. Le facteur .... cet après-midi, mais il n'y avait personne chez vous.

2. Quand je suis à la campagne, j'ai l'impression de .... !

3. Nos cousins d'Amérique .... le français qu'il parlaient quand ils étaient enfants.

4. Nous .... à la gare, parce que nous avons oublié une valise sur le quai.

5. Je .... régulièrement à sa nouvelle adresse le courrier de Jacques.

6. Ils .... plusieurs fois par leur directeur. Ils doivent penser à un cadeau.

7. Les comètes .... dans le ciel à des siècles de distance, c'est étonnant !

❹ Accordez les participes passés, quand c'est nécessaire.

Marie est venu............ seule à la fête. Son copain ne l'a pas accompagné............, parce qu'il a dû............ aller chercher quelqu'un de la famille à la gare. Tout le monde a remarqué............ qu'elle était timide et on a alors essayé............ de la faire danser, de lui parler. Puis, au cours de la soirée, elle a commencé............ à se sentir plus à l'aise. Les gâteaux sont arrivé............, on a ouvert............ une bouteille de champagne. Nous avons chanté............ et la fête s'est terminé............ dans une ambiance très sympathique.

Grammaire

❺ Formez des phrases comme dans l'exemple.

(Tu) faire du sport, (devoir) t'entraîner. ➜ *Si tu fais du sport, tu dois t'entraîner.*

1. (Ils) nous écrire, (être) important de leur répondre.

....

2. (Elle) être souffrante, (devoir) aller chez un médecin.

....

3. (Nous) accepter leur proposition, (être obligés) de nous mettre rapidement au travail.

....

4. (Vous) sortir par ce temps, (devoir) prendre un parapluie.

....

5. (Elle) arriver en retard à la réunion, (devoir) prévenir ses collègues.

....

❻ Lisez ces conseils et complétez-les, d'après les suggestions suivantes :
utiliser les transports en commun – partir à l'étranger – prendre ses clés –
ne pas aller à la campagne – vouloir un bel hôtel – déménager.

Si vous détestez le silence, ...
➜ *Si vous détestez le silence, n'allez pas à la campagne.*

1. ...., n'oublie pas tes papiers.

2. Si tu ne veux pas polluer, ...

3. ...., demandez de l'aide à vos copains.

4. Si vous rentrez tard, ...

5. ...., fais tes réservations à l'avance.

❼ Un jeune couple cherche un appartement. Complétez leurs propos.

1. ...., on pourra y mettre des fleurs.

2. Si l'appartement est spacieux, ...

3. ...., nous aurons une belle vue.

4. ...., on ira habiter chez tes parents.

❽ Complétez les phrases suivantes avec *quand... et que – parce que... et que – depuis... et que – dès que... et que* devant la seconde subordonnée, selon le cas.

.... j'ai quitté ma ville et .... je me suis installé à la campagne, tous mes amis étaient très étonnés.

➜ *Quand j'ai quitté ma ville et que je me suis installé à la campagne, tous mes amis étaient très étonnés.*

1. La route était bloquée d'abord .... il avait beaucoup neigé et .... il y avait des voitures en panne.

2. .... on a fait nos valises et .... tu es prête, on appelle un taxi.

3. .... qu'ils sont venus à Paris et .... ils se sont habitués au rythme d'une grande ville, ils ne veulent plus s'en aller.

4. Elle aime vivre dans sa maison isolée, aux milieux des champs .... la solitude ne lui pèse pas et .... elle lit beaucoup.

5. .... que nous avons acheté cet appartement et .... nous y vivons, je suis plus tranquille.

❾ Complétez avec *avoir à + infinitif*.

Agence Riquet – appartement – vendre près d'ici.
➜ *L'agence Riquet a un appartement à vendre près d'ici.*

1. La voisine – un service – demander à Claire.

....

2. Je – quelque chose – acheter dans le quartier.

....

3. Tu – ne rien – reprocher à tes enfants.

....

4. Elle – ne rien – perdre dans cette affaire.

....

5. Il – un colis – livrer au 5ᵉ étage.

....

❿ Lisez ces phrases et transformez-les comme dans l'exemple.

Je dois faire des voyages à l'étranger pour mon travail.
➜ *J'ai des voyages à faire à l'étranger pour mon travail.*

1. Le guide devait donner des informations à tout le groupe.

Le guide avait des .... *à* ....

2. Il doit annoncer une bonne nouvelle à ses parents.

Il a ....

3. Nous ne devons rien rendre à François.

Nous n'avons ....

4. Vous devez faire des travaux dans votre maison, n'est-ce pas ?

Vous avez ....

5. Elle doit dire quelque chose, à ce propos.

Elle a ....

⓫ **Complétez ces propos avec des verbes comme *déclarer, dire, confirmer, répondre, ajouter*... Utilisez l'inversion du sujet.**

(Le client au directeur de l'hôtel) « Ma chambre est très froide. »
➜ *« Ma chambre est très froide », a déclaré le client au directeur de l'hôtel.*

(Le directeur) « Nous sommes complets, mais demain on pourra vous la changer. » ....

....

(Le client) « J'insiste pour en avoir une autre ou bien je m'en vais. » ....

....

(Le directeur) « Attendez, je vérifie les réservations. Voilà, il y en une qui a juste été

annulée. » ....

Expression

⓬ **Le texte ci-dessous est donné dans le désordre. Il s'agit de l'introduction d'un article de journal. Réécrivez-le dans l'ordre.**

Texte 1

Mais qui s'y intéresse ? Pas grand-monde[1]. Il fallait les écouter. – Vingt-deux millions de Françaises vivent en ville en cette fin de XXᵉ siècle. – Pour la première fois, un sondage donne la parole aux femmes sur leur ville. – 22 millions de femmes sont installées dans la cité, avec leurs attentes[2], leurs difficultés, leurs colères, leurs bonheurs.

1. Pas grand-monde : pas beaucoup de personnes.
2. Attente : ce qu'on attend.

....

....

....

....

Les textes 2, 3 et 4 sont des réponses au sondage dont on parle dans le texte 1.

⓭ **1. Complétez le texte 2 avec les éléments suivants : *celles qui – mais – c'est vrai que*.**

Texte 2

.... beaucoup de femmes ont gagné les dernières élections municipales[1].

.... si vous observez les résultats, vous voyez que les femmes administrent les

municipalités les plus petites, ... n'intéressent pas les hommes.

1. Élections municipales : choix de ceux qui vont diriger la ville.

2. Composez un petit texte sur le modèle du texte 2. Utilisez les éléments suivants : *c'est vrai que – mais – de plus – leur carrière est moins rapide – les salaires des hommes sont plus élevés – beaucoup de femmes font les mêmes métiers que les hommes.*

Texte 3

Les femmes connaissent mieux que les hommes les problèmes de la vie quotidienne grâce à leur expérience professionnelle et familiale. Prenons l'exemple des transports. Est-ce que les ingénieurs qui ont créé les tourniquets[1] et les portillons automatiques ont déjà pris le métro avec un bébé et avec le sac des courses ? Non, bien sûr.

1. Le tourniquet et le portillon : des systèmes de fermeture des portes automatiques.

⑭ Relevez, dans le texte 3 :

1. l'opinion :

....

2. la question exemple :

....

3. la réponse à la question :

....

⑮ Cochez la bonne réponse.

La question exemple est : une vraie question ❑ une question dont la réponse est connue ❑

DELF **⑯ Construisez un texte sur le modèle du texte 3.**

Utilisez les éléments suivants :
Affirmation principale : municipalités – ne pas faciliter – travail des femmes.
Question exemple : prenons l'exemple des garderies – femmes – travailler tard le soir – pouvoir laisser leurs enfants à la garderie.
Réponse : pas toujours possible.

Texte 4

Les femmes vivent bien à Toulouse. L'équipe municipale, dirigée par un homme, a fait beaucoup d'efforts pour leur faciliter la vie. On a ouvert des garderies, on a créé des espaces verts et des associations sportives pour les enfants et les adolescents. Pourtant, tout n'est pas rose[1]. Non seulement le chômage est plus fort chez les femmes que chez les hommes, mais en plus, pour le même travail, les hommes ont des salaires plus élevés.

1. Tout n'est pas rose : tout n'est pas facile, agréable.

⑰ Relevez les aspects positifs et négatifs de la ville de Toulouse.

1. Aspects positifs : ....

2. Aspects négatifs : ....

⑱ Faites une liste comportant trois aspects positifs et deux aspects négatifs de votre ville.

....

....

DELF **19** **Écrivez un petit texte selon le schéma suivant :**

Aspects positifs : ....

....

C'est bien, mais tout n'est pas rose.

Aspects négatifs : Non seulement ....

mais en plus ....

....

Conversations

CULTURE
EN
LIBERTÉ

❶ **Complétez la conversation à partir des suggestions entre crochets.**

Laurent est en dernière année d'université. Sa demande de bourse d'un an à l'université de Louvain, en Belgique, a été acceptée. Mais, maintenant, il hésite. Il en parle à son ami, Denis.

LAURENT : *[Annonce à Denis qu'il a obtenu la bourse.]* ....

....

DENIS : C'est bien ! Je vais venir te voir à Louvain. On m'a dit qu'il y avait un très bel hôtel de ville datant du Moyen Âge !

LAURENT : C'est gentil. Mais… *[Exprime ses doutes et les justifie : ne pas être sûr de vouloir quitter ses amis, son appartement – avoir peur de ne pas savoir s'adapter]* ....

....

....

....

DENIS : Tu n'as rien à craindre, de ce côté-là. *[Énumère les avantages d'une université comme Louvain : centre universitaire prestigieux – bonne organisation de la cité universitaire – expérience enrichissante].*..

....

....

LAURENT : Tu as peut-être raison. Si je renonce à cette bourse, je n'aurai plus jamais une occasion pareille !

DELF **❷** **Quel appartement Gerhard va-il-choisir ? Imaginez sa conversation avec son collègue.**

Gerhard est un journaliste allemand qui va passer quelques mois à Paris, pour des raisons de travail. Son journal, qui paiera ses frais de séjour, lui propose deux appartements. Il en discute avec un collègue.

Premier appartement

Avantages : 16e arrondissement (près du Trocadéro), quartier chic, bien desservi par les transports en commun, immeuble calme entièrement rénové, jardin intérieur.

Inconvénients : appartement au rez-de-chaussée, un peu sombre.

Deuxième appartement

Avantages : 18e arrondissement (quartier de Montmartre), appartement au dernier étage, balcon, vue magnifique.

Inconvénients : à 20 minutes à pied de la station de métro, quartier très touristique et bruyant.

– *Je suis très indécis. Le premier appartement est intéressant.....................................*

 3 La famille Perrin (les parents et un garçon de 13 ans) rentre de l'étranger et va s'installer en région parisienne. Le choix de l'appartement est fait : ce sera un quatre pièces à Pantin, non loin du parc de la Villette où ont lieu beaucoup de manifestations culturelles, musicales… (Cité des Sciences, Cité de la Musique, espaces verts pour le sport…).

1. À partir de l'annonce ci-dessous et des informations ci-dessus, faites la liste des avantages de l'appartement. Imaginez les inconvénients (c'est la banlieue – moins de charme que Paris…).

2. À partir de vos notes, imaginez comment M. et Mme Perrin expliquent leur choix à Richard, leur fils.

RÉGION PARISIENNE

93 PANTIN

Le Clos Berthier

14, rue Berthier

Petite résidence sur place piétonne. Du studio au 4 P. À partir de 10 800 F/m², parking en sus. 3e trim. 98.

À 500 m du métro, à 900 m du Parc de la Villette, proche de tous les commerces, ce petit immeuble (12 appartements) offre terrasses, balcons, bonnes prestations, sécurité étudiée, charges modérées.

Bureau de vente : mardi, mercredi, jeudi, vendredi et samedi après-midi (14 à 19 h). 56, av. Jean-Jaurès à Pantin (RN2).

Tél. bureau de vente : 01 48 44 70 58 ou portable : 06 11 11 46 17

RELATION FAMILIALE

 Vocabulaire et orthographe

BOÎTE
À
OUTILS

❶ 1. Voici une liste de mots qu'on utilise quand on négocie. Soulignez les intrus.

Une pause – un report – une association – une proposition – une réflexion – une discussion – un accord – une correspondance.

2. Voici des définitions. Trouvez à quels mots ci-dessus elles correspondent. Aidez-vous d'un dictionnaire, en cas de doute.

➜ *Un renvoi (m.) : action de remettre à un autre moment.*

a. .... (f.) : conversation où chacun exprime ses idées.

b. .... (f.) : suspension d'une action en cours.

c. .... (f.) : action d'examiner un problème dans ses détails.

d. .... (m.) : décision acceptée par deux ou plusieurs personnes.

❷ Complétez les phrases à l'aide des mots de l'exercice précédent.

1. À cause du blouson, il y a eu une longue .... entre Marie et son père.

2. Le père de Marie lui a fait une .... Ils ont trouvé un ....

3. Tous les participants ont demandé une .... d'une heure pour pouvoir échanger leurs impressions.

4. Le .... de la réunion prévue pour le 10 est motivé, dit-on, par des difficultés d'organisation.

5. Monsieur le directeur, je trouve votre proposition très intéressante, mais j'ai besoin de quelques jour de ....

❸ Trouvez les verbes correspondants aux mots suivants.

Report ➜ *reporter.*

1. Réflexion ➜ ....

2. Accord ➜ se........................ d'........................

3. Proposition ➜ ....

❹ Rédigez ces phrases avec les verbes de l'exercice précédent.

Ève – son mariage d'un an.
➜ Ève a reporté son mariage d'un an.

1. Gérard et ses parents – pour qu'il sorte le soir une fois par semaine.

....

2. Vous devoir – à la question.

....

3. Nous – partir en vacances au mois de septembre.

....

❺ Lisez et remplacez les son {ã} comme dans <u>en</u>core et Fr<u>an</u>ce, et le son {õ}, comme dans <u>con</u>duite et <u>com</u>prendre, par les lettres correspondantes.

1. – Je t'ai dit de mettre t{õ} blous{õ} ! ....

2. – N{õ}, il ne me plaît pas mam{ã} ! ....

3. – Je ne c{õ}pr{ã}ds pas, il te plaisait tellem{ã}t ! ....

4. – Écoute, je t'{ã} achète un autre plus gr{ã}d, d'accord ? Mais, pas mainten{ã}t, d{ã}ns

deux mois ....

5. – C'est une bonne soluti{õ}. Remercie t{õ} père ! ....

Grammaire

❻ Complétez les phrases suivantes par une subordonnée conditionnelle.

...., *j'irais vivre tout seul.*

➜ Si j'avais assez d'argent, j'irais vivre tout seul.

1. .... il n'arriverait pas toujours en retard.

2. .... ils demanderaient le report de la décision.

3. .... on pourrait discuter calmement.

4. .... elle éviterait des erreurs.

5. .... nous serions ravis de vous recevoir.

❼ Transformez ces phrases comme dans le modèle.

Il ne parle pas avec nous, nous ne pouvons pas l'aider.
➜ S'il parlait avec nous, nous pourrions l'aider.

1. On ne reporte pas l'assemblée générale, il ne peut pas être présent.

....

2. Fanny n'est pas patiente, elle n'écoute pas ses parents.

....

3. Justin ne téléphone pas, je ne l'invite pas.

....

4. Ils n'écrivent pas, je n'ai pas de leurs nouvelles.

....

5. Ils ne m'expliquent pas le problème, je ne peux pas accepter leur proposition.

....

❽ Lisez cette conversation. Rapportez-la au présent, puis au passé. Attention : *demain* devient *le lendemain*, dans le discours rapporté.

Mme DORAY : Pourquoi tu rentres si tard, Guy ?
M. DORAY : Ah, tu étais inquiète ? La prochaine fois, je prendrai une carte téléphonique et je t'appellerai.
Mme DORAY : Tu es fatigué ?
M. DORAY : Un peu. Je prends une douche et après j'irai me coucher.
Mme DORAY : Tu pars à quelle heure demain ?
M. DORAY : Je commence à neuf heures, mais je partirai un peu plus tôt : j'ai des problèmes à régler au bureau, avant la réunion.

1. Mme Doray *demande* à son mari pourquoi *il rentre* si tard. Il répond que la prochaine fois

il prendra..

2. Mme Doray *a demandé* à son mari pourquoi *il rentrait* si tard. Il a répondu que la prochaine fois *il prendrait*..

❾ 1. Soizic travaille à Lille et elle n'est pas partie en Bretagne, pour le week-end, à cause de la météo. Voici les prévisions qu'elle avait lues dans le journal.

Bretagne, Pays de Loire, Basse-Normandie
Ciel couvert et beaucoup de nuages qui seront de plus en plus nombreux au cours de la journée de samedi. Il y aura de la pluie, surtout l'après-midi. Les vents de sud-ouest seront forts : on prévoit des rafales à 80 km/h, près des côtes. Les températures seront fraîches pour la saison : elles iront de 14 à 19 degrés.

2. Au téléphone, elle explique à une amie pourquoi elle a renoncé à partir.

– Non, non, je ne voulais pas prendre de risques. Figure-toi que la météo disait que le ciel

serait..

Et en plus, on annonçait que le vent..

Quant aux températures..

❿ Remplacez les mots soulignés par des pronoms personnels compléments.

Il parle à Claude de son départ.
→ *Il lui parle de son départ.* → *Il lui en parle.*
Gilles offre des gâteaux à Antoine.
→ *Gilles en offre à Antoine.* → *Gilles lui en offre.*

1. Nous demandons des informations à l'employé.

....

2. Les enfants font parfois des promesses à leurs parents.

....

3. Nicole apporte des fleurs à sa mère pour son anniversaire.

....

4. Ils écrivent des lettres à leurs correspondants.

....

5. Gilbert achète des gâteaux à son frère.

....

6. Jean-Paul a raconté des histoires à son amie.

....

⓫ Lisez cette lettre et ajoutez les pronoms complément manquants.

Cher Hugues,

Christophe et Marc m'ont dit que leur père .... avait annoncé qu'ils partiraient bientôt pour le Canada. Cette nouvelle ne .... plaît pas, ils n'............ sont pas très contents. Je voudrais bien être à leur place et .... en aller dans un pays lointain ! Mes amis .... ont promis qu'ils .... inviteraient à Montréal. Qu'est-ce que tu .... penses ? Ce n'est pas génial ?

Salut ! Yves

Expression

DROIT DE RÉPONSE

LES ÉTUDES

Oui, les études des enfants sont importantes.
Oui, la société moderne est dure et les jeunes doivent avoir une formation solide.
Oui, les parents doivent pousser leurs enfants à travailler, et les punir quand leurs résultats sont mauvais.

Tout cela est vrai ! Ce n'est pas facile pour les parents de signer des bulletins médiocres ou franchement mauvais à la fin de chaque trimestre, mais ce n'est pas une raison pour parler de l'école et des mauvaise notes à tous les repas !

Que penseriez-vous de votre chef s'il vous répétait sans arrêt : « N'oubliez pas, Durand, que si vous n'avez pas de meilleurs résultats à la fin du mois, vous n'aurez pas d'augmentation l'année prochaine. » Vous le trouveriez peu compréhensif, autoritaire et désagréable et vous auriez raison !

Pourquoi alors, pratiquons-nous cette méthode avec nos enfants ?

12 **À qui s'adresse le texte ?**

aux enfants ❑   aux parents ❑

13 **À quels paragraphes du texte correspondent les parties suivantes :**

1. les opinions générales des parents : ....

2. la conclusion : ....

3. le développement de l'opinion de l'auteur : ....

4. l'opinion de l'auteur : ....

14 **Résumez en deux phrases ce que l'auteur veut nous faire comprendre.**

C'est vrai que ....

....

Mais il ne faut pas...

....

DELF **15** **On dit que les jeunes passent beaucoup de temps devant la télévision et qu'ils ne font pas toujours leurs devoirs. Écrivez un petit texte et suivez le modèle proposé.**

Oui, ...

Oui, ...

Tout cela est vrai ! Mais ce n'est pas une raison ....

....

Que penseriez-vous ....

....

Pourquoi alors ....

....

DELF **16** **Apprenez à développer vos arguments. Vous pouvez utiliser les éléments donnés ci-dessous.**

1. Bien sûr, les parents d'un(e) adolescent(e) de 16 ans doivent toujours savoir qui sont ses amis et où il (elle) va. Mais il faut lui laisser ses petits secrets.

Si (votre directeur/demander/ce que vous faites samedi et dimanche/répondre) ....

....

....

....

2. Bien sûr, vous aimez beaucoup votre frère (sœur). Vous l'avez aidé à trouver du travail et un appartement dans votre quartier. Mais ce n'est pas une raison pour aller chez lui sans prévenir et regarder toutes ses affaires.

Si (votre collègue/entre dans votre bureau/ouvrir vos tiroirs/dire) ....

....

....

....

 *Conversations*

❶ **Remettez les répliques suivantes dans l'ordre pour retrouver leur conversation.**

1. *Cyril et Ève vont se marier. Un mois avant, Ève demande à Cyril de reporter la date du mariage...*

2. – Mais non, bien sûr que je t'aime. Mais si on se donnait trois ou quatre mois de réflexion, je pourrais m'habituer à l'idée... Tout s'est passé si vite !

3. – Oui, dis-moi, que se passe-t-il, chérie ?

4. – Écoute, je pourrais peut-être comprendre, si tu me disais la vérité.

5. – Je dois te demander quelque chose, Cyril.

6. – Et si on reportait la date de notre mariage ?

7. – Ah c'est ça, tu ne m'aimes plus !

8. – La vérité ? C'est très simple. Il y a encore six mois, tu étais un inconnu pour moi. J'ai besoin de mieux te connaître. Voilà tout !

DELF

❷ **Imaginez cette conversation. Aidez-vous des suggestions.**

Claudine Piquemal devait remettre un roman à son éditeur, M. Féron, mais elle a accumulé du retard. Au cours d'un entretien, elle lui demande un mois de plus.

Raisons du retard : problèmes de famille, de santé, nouvel ordinateur, etc.

Raisons de l'éditeur : dates à respecter pour l'imprimerie, pour les clients, etc.

Possibilité : renvoi de dix jours au maximum.

C. PIQUEMAL : M. Féron, je suis désolée, mais j'ai quelque chose à vous demander............

....

M. FÉRON : ....

....

C. PIQUEMAL : ....

....

M. FÉRON : ....

....

Mobilité

Perceptible dans plusieurs secteurs de la consommation, tels que l'alimentation ou l'ameublement, le goût des Français pour « un retour au naturel, aux choses simples » se manifeste aussi dans leurs choix touristiques. Ils tendent en effet à préférer l'Ouest au Sud : la côte atlantique connaît un succès croissant, tandis que la Côte d'Azur enregistre une baisse des séjours. Le cas de ce cadre parisien est, en ce sens, exemplaire.

C'était en avril 1994. Éric revenait de vacances sur la côte méditerranéenne et parlait de son amour pour les îles. L'un de ses collègues, d'origine bretonne, lui avait parlé d'une petite île « extraordinaire », en face de chez lui, dans le Finistère. Le week-end suivant, Éric y emmenait son amie. Coup de cœur immédiat... Quinze jours plus tard, ils étaient chez le notaire pour l'achat d'un garage à transformer en habitation. C'est ainsi qu'Éric, turc d'origine, méditerranéen de cœur, s'est retrouvé propriétaire sur une île de l'Atlantique dont, jaloux de sa découverte, il ne veut pas nous dire le nom.

La côte ouest a le vent en poupe. Ré, Belle-Île et Noirmoutier sont aux années 90 ce que Saint-Tropez était aux années 70. Les marées remplacent le soleil, la pêche aux moules le bronzage à tout prix, les promenades dans les rochers la sieste sous les oliviers. « Sur l'océan, il y a toujours quelque chose à faire, la vie est moins chère, on ne fait la queue nulle part, et c'est tonique », s'exclame Pascale qui a découvert la Bretagne depuis trois ans. « Ayant des enfants, on se posait des questions sur la foule, la chaleur », poursuit-elle. Un agent immobilier, qui exerce son activité dans le Morbihan, nous déclare : « Le client-type de la côte atlantique ? C'est quelqu'un qui vient rechercher une authenticité, des racines*, même s'il n'est pas breton. »

(D'après *Le Monde,* 10 mai 1996, p. 8.)

* Racines : ici, dans le sens d'origines.

❙ Lisez ce texte et répondez aux questions.

1. Le sujet de ce texte est :
   a. le succès des produits naturels ❑
   b. le changement de destination (localités différentes) des Français pour leurs vacances ❑
   c. le travail d'un cadre parisien ❑

2. Dans le 1er paragraphe, on évoque une mode qui concerne plusieurs domaines. Lesquels ?

3. Relativement aux vacances, quelle côte est « en hausse » ? Laquelle est « en baisse » ?

4. Dans le 2e paragraphe, de qui parle-t-on ?

5. Repérez les informations :
   a. sur Éric (profession, traits caractéristiques)
   b. sur les indications de temps
   c. sur les faits racontés : *L'un de ses collègue...*

6. Trouvez-vous le choix d'Éric surprenant ? Pourquoi ?

7. Dans le 3e paragraphe, repérez les noms géographiques mentionnés et localisez-les sur une carte.

8. Quelles qualités de l'Ouest oppose-t-on aux qualités et aux défauts de la Côte d'Azur, en déclin ? Notez-les.

la côte ouest (l'Atlantique)	**la Côte d'Azur** (la Méditerranée)
Les marées	....

9. Résumez la déclaration de l'agent immobilier. Est-ce que vous remarquez ce même goût croissant pour l'authenticité et le naturel dans votre pays ? Si oui, dans quels domaines ?

Crise de l'emploi, couples en crise…

SOCIÉTÉ

La vie des ménages connaît depuis quelques années des problèmes liés à la politique économique générale. Ils sont dus à la précarité de l'emploi, à la « mobilité » des employés et, bien sûr, au chômage. La perte du travail d'un des conjoints peut provoquer des tensions et entraîner le couple vers une séparation définitive. Une spécialiste explique ainsi la dynamique qui s'impose dans les ménages, en cas de chômage du père ou de la mère.

La première « fragilité » pourrait être la représentation que l'homme et la femme se font chacun de leur rôle au sein de la famille et de la société. L'homme reste celui qui se sent responsable du foyer et son image est strictement liée à son activité professionnelle et à son statut social :

Lorsqu'il ne peut plus dire « je suis P-DG » ou « je suis peintre », il n'a plus cette définition qui le pose dans la société ; il n'a plus de représentation sociale. C'est quelque chose qu'il vit très mal, et la position de la femme change. Elle peut éprouver quelque chose qui ressemble à du mépris* pour son compagnon. À l'inverse, la femme a sans doute moins tendance à subir le chômage comme une blessure personnelle : « Comme le travail est une conquête plus récente pour elle, la femme n'y met pas toute son identité, même si cela signifie pour elle un retour en arrière, vers la dépendance. »

(D'après *Le Monde*, 8 mai 1996, p. 8.)

* Le mépris : sentiment négatif envers quelqu'un, le contraire de l'estime.

2 **Lisez le texte et répondez aux questions.**

1. Le sujet de ce texte est :
   a. la crise industrielle ☐
   b. la place de la femme dans la société ☐
   c. la vie des ménages ☐

2. Repérez les causes de la crise des ménages. De quoi sont-elles la conséquence ?

3. À quoi est liée l'image de l'homme ?

4. Quand l'homme perd son travail, quelle est sa réaction ? Et celle de sa compagne ?

5. Comment réagit la femme, quand elle est elle-même sans travail ?

Et si l'entreprise « se délocalise »… ?

LE JOURNALISTE : La vie en couple constitue-t-elle un obstacle* important à la mobilité professionnelle ?

LE SOCIOLOGUE : L'emploi du conjoint reste l'obstacle principal à cette mobilité professionnelle. Les autres obstacles, comme la propriété de la maison, les études des enfants ou l'âge des salariés comptent moins.

LE JOURNALISTE : Les deux membres du couple se suivent-ils nécessairement ? L'emploi de la femme est-il toujours celui que l'on sacrifie, en cas de mobilité professionnelle ?

LE SOCIOLOGUE : Statistiquement, c'est la femme qui suit davantage son mari, mais l'inverse commence à être vrai. Un troisième choix est aussi retenu : homme et femme conservent leur emploi et ils acceptent de se séparer géographiquement, pour se retrouver le week-end.

LE JOURNALISTE : L'expérience de la mobilité est-elle une source de tensions dans un couple ?

LE SOCIOLOGUE : C'est en tout cas un chemin difficile. S'éloigner de la famille, c'est reconstituer un autre réseau de relations, garder un bon rapport avec les enfants, malgré l'éloignement, apprendre à être autonome.

(D'après *Le Monde*, 8 mai 1996, p. 8.)

* Un obstacle : ce qui s'oppose à une action ou la retarde.

3 **Lisez cet entretien avec un sociologue et répondez aux questions.**

1. Quand l'employé suit son entreprise dans une autre ville, quel est l'obstacle le plus important ?

2. Quelle est la situation la plus fréquente ?

3. *Reconstituer un autre réseau de relations* signifie :
    a. faire d'autres connaissances ❏
    b. rendre plus solides ses liens avec ses amis ❏

4. Quelles sont les autres difficultés ?

5. D'après l'entretien, le travail dans la vie quotidienne des ménages a :
    a. peu d'importance ❏
    b. une grande importance ❏
    c. une importance relative ❏

6. Est-ce la même chose dans votre pays ?

7. Quelle solution choisiriez-vous en cas de mobilité professionnelle : partir ensemble ? rester là où chacun a son travail ? Expliquez pourquoi.

Vocabulaire et orthographe

BOÎTE À OUTILS

❶ **1. Voici des mots utilisés dans les publicités touristiques. Lisez-les et classez-les en deux listes : *petit budget/gros budget*. Aidez-vous d'un dictionnaire, si nécessaire.**

a. Convivialité. **b.** Luxe. **c.** Raffinement. **d.** Exclusivité. **e.** Simplicité. **f.** Ambiance chaleureuse. **g.** Qualité du service. **h.** Authenticité. **i.** Atmosphère familiale. **j.** Partage d'expériences. **k.** Contact avec la nature. **l.** Sourire. **m.** Visites gastronomiques gratuites.

Petit budget : ....

Gros budget : ....

2. Composez des slogans publicitaires à partir de quelques-uns de ces mots.

Un camping : ➜ *De la convivialité, un partage d'expériences, le contact avec la nature !*

a. Un hôtel de luxe : ....

b. Un petit hôtel : ....

c. Une chambre chez l'habitant : ....

❷ **1. Classez les verbes ci-dessous selon ce qu'ils expriment :**

a. l'intérêt, la curiosité, le plaisir : *regarder* ....

....

b. qui font penser à une vie saine, libre : *respirer* ....

....

S'étonner – regarder – admirer – écouter – découvrir – s'amuser – respirer – courir – oublier – voir – bouger – connaître – oser – rêver.

2. Pendant un séjour à l'étranger, on propose des excursions et des activités variées. Choisissez deux verbes dans la liste ci-dessus pour accompagner chaque proposition d'excursion, comme dans l'exemple.

Visite des foires et des marchés de la région : ➜ *Regarder et découvrir !*

a. Excursion à cheval, au milieu de la nature : ....

b. Visite d'un village médiéval : ....

c. Spectacle de cirque : ....

d. Journée en canoë : ....

❸ Complétez le tableau en relevant le son [ɛ̃] comme dans v<u>in</u>, p<u>ain</u> et le son [ɛn] comme dans améric<u>aine</u>, tunisi<u>enne</u>.

Je trouve que <u>Sébastien</u> va très <u>bien</u>, en ce moment.

1. Julienne vient de rentrer de vacances. Tu le savais ?
2. Le quinze, j'ai un rendez-vous important, avec mon PDG.
3. Madame, il faut mener une vie plus saine : suivre un régime équilibré et bien dormir !
4. Le technicien de la télé est arrivé pour réparer l'antenne.

le son [ɛ̃]	le son [ɛn]
Sébast<u>ien</u>	....
b<u>ien</u>	....

Grammaire

❹ Repérez les pronoms interrogatifs rapportés à une personne (P) ou à une chose (C)

Qu'est-ce que tu en dis, Luc ? P ☐ C ☒

1. Qui vont-ils voir, demain ? P ☐ C ☐
2. Qu'est-ce qui pourrait l'intéresser ? P ☐ C ☐
3. Qui est-ce qui a réservé l'hôtel ? P ☐ C ☐
4. Que faut-il faire, maintenant ? P ☐ C ☐
5. Qu'est-ce que tu leur as promis ? P ☐ C ☐
6. Qui a décroché le téléphone ? P ☐ C ☐
7. Qu'est-ce qu'elle a répondu ? P ☐ C ☐

❺ Ajoutez le pronom interrogatif qui manque.

.... *tu as fait toute la journée ?* → *Qu'est-ce que tu as fait toute la journée ?*

1. .... devez-vous rencontrer, demain ?
2. .... attire les touristes dans cette localité ?
3. .... a laissé ce message dans notre boîte aux lettres ?
4. Mais .... ont-ils à me dire, encore ?
5. .... il y a d'intéressant à voir, ici ?

❻ Transformez les questions à l'aide des verbes *vouloir, savoir* ou *demander*.

Qu'est-ce que tu as promis à ton père ?
→ *Je te demande/je voudrais savoir ce que tu as promis à ton père.*

1. Qu'est-ce qui s'est passé hier soir ?

....

2. Qui vont-ils choisir comme directeur ?

....

3. Qu'avez-vous oublié dans le bus ?

....

4. Qui est-ce qui a pris ces photos ?

....

5. Qui vous a conseillé ce restaurant ?

....

❼ **1. Relevez les verbes qui indiquent la volonté (désir, préférence) et ceux qui indiquent l'obligation (devoir).**

	la volonté	l'obligation
a. Mes parents désirent que je suive des études en économie.	....	....
b. Je souhaite vivement que vous finissiez votre travail.	....	....
c. Il faut que l'on achète des tickets.	....	....
d. Nous voudrions que vous leur donniez de bons conseils.	....	....
e. Tu veux bien que l'on vienne chez toi ?	....	....
f. Mes parents préfèrent que nous allions à la mer en juillet.	....	....

2. Remplacez les personnes des verbes au subjonctif de l'exercice précédent par celles indiquées.

a. Nous.   ➜ *Mes parents désirent que nous suivions des études économiques.*

b. Tu.   ➜ ....

c. Vous. ➜ ....

d. Il.   ➜ ....

e. Nous. ➜ ....

f. Je.   ➜ ....

3. Conjuguez les verbes suivants au subjonctif présent.

a. Suivre.   ➜ *(que) je suive, tu*...

b. Pouvoir. ➜ ....

c. Prendre. ➜ ....

d. Venir.   ➜ ....

e. Aller.   ➜ ....

❽ **Complétez les répliques par le verbe à la forme qui convient.**

LA MÈRE : J'aimerais bien que l'on .... (partir) tous ensemble en vacances !

LE FILS : Oui, je comprends, mais je voudrais aussi que vous .... (se décider)
à changer d'endroit. La côte normande, c'est ennuyeux !

LA MÈRE : Écoute, Patrice, nous voulons bien te .... (faire plaisir), mais il faut
que tu .... (faire) un petit effort. Il faut que le lieu de vacances ....
(plaire) à toute la famille.

LE FILS : Je préfère alors que nous .... (aller) à Deauville, comme toujours,
au moins, j'ai quelques amis là-bas.

LA MÈRE : On va réfléchir à la question. Moi, par exemple, je préférerais que l'on
.... (changer) pour une fois. Qu'est ce que tu dirais de la Côte d'Azur ?

❾ Complétez par les pronoms interrogatifs (*lequel, laquelle...*) qui conviennent.

1. – Tu peux me passer ces dépliants ? – .... ?

2. – Parmi ces hôtels, ... me conseilles-tu ?

3. – Voilà la petite amie de Gérard ! – .... ? La brune ?

4. – Ces chemisiers sont tous beaux, mais .... préférez-vous, mademoiselle ?

5. – Il pleut. Je vais prendre un parapluie. – .... me laisses-tu ?

6. – De toutes ces excursions, ... sont les moins chères, monsieur ?

 *Expression*

LONGTEMPS À L'AVANCE :   *VACANCES*
JETEZ DES PONTS VERS LE FUTUR

Il ne faut pas attendre le jour du départ pour être en vacances. On devrait toujours « entrer en vacances » progressivement, les jours d'avant. Si vous attendez, vous perdez du temps et du plaisir. Alors, partez dans votre tête avant de partir pour de vrai.

Pensez à tout ce qui fera le bonheur de vos vacances. De la chaleur du soleil sur votre peau de citadine à cette route de Toscane qui traverse les vignes, vous avez le choix. Ne vous arrêtez pas sur des images d'activité. Pensez que vous êtes en train de vous reposer dans le calme. Il ne faut pas que vous fassiez en vacances tout ce que vous n'avez pas

fait pendant l'année (lectures, sport, etc.)

N'hésitez pas à lire tout ce qui sort, guides ou reportages, sur votre destination. Ne craignez pas d'y perdre le « choc de la découverte ». Sur place, c'est toujours différent.

Après le bureau, donnez rendez-vous à la personne qui partira avec vous dans un bar, pour parler des vacances. Quand on le fait à la maison, on pense à tout ce qu'il faut organiser. À l'extérieur, on oublie plus facilement le quotidien et on s'intéresse davantage aux soirées romantiques.

---

❿ Lisez le texte et cochez les bonnes réponses.

1. Ce texte est extrait :

d'un article de magazine ❑

d'une lettre à un ami ❑

d'une affiche ❑

2. Il donne :

des informations sur les vacances ❑

des conseils pour bien préparer ses vacances ❑

des conseils pour le retour des vacances ❑

⓫ Relevez la partie où l'auteur donne :

1. un conseil d'ordre général : ....

2. des conseils précis : ....

⑫ Quelles sont les formes verbales employées dans les phrases où l'on donne des conseils ?

....

....

⑬ Dans le premier paragraphe, repérez :

1. le mot qui introduit une hypothèse : ....

2. le mot qui introduit la conclusion : ....

`DELF` **⑭ Complétez la lettre ci-dessous avec les éléments suivants :**

écrire à des consulats – à des agences de voyage – bien préparer ton voyage à l'avance – dépenser moins – lire tout ce qui sort sur le lieu de ta destination – demander des adresses à des amis qui ont fait le même voyage – partir en dehors de la saison touristique – croire tout ce que dit la publicité.

  Tu m'écris dans ta lettre que tu n'as pas été satisfait de tes dernières vacances. Tu me demandes des conseils pour ton prochain voyage en Amérique du Sud.

À mon avis, il ne faut pas ....

Tu devrais ....

Pense à ....

Ne crains pas de ....

N'hésite pas à ....

Si tu ....

tu ....

`DELF` **⑮ Un de vos amis est très rêveur et il oublie toujours tout. Quand il part en vacances, il oublie d'acheter son billet à l'avance, il rate souvent son train parce qu'il est en retard. Sur place, il ne ferme jamais sa porte à clé et sur la plage, il laisse ses affaires n'importe où.**
Écrivez-lui un mot pour lui donner des conseils.

Conversations

❶ **Lisez ces répliques et mettez-les dans l'ordre.**

Alexis, 30 ans, veut convaincre sa femme de prendre, pour une fois, des vacances sportives. Elle n'est pas ravie de cette proposition.

1. – J'aimerais bien qu'on parte dans un endroit tranquille, cette année !

2. – Du camping ? et sauvage en plus ? Adieu le repos !

3. – Moi aussi, je voudrais vraiment me reposer.

4. – Moi, je pensais faire du camping sauvage. Tu sais, dans la vallée de la Garonne…

5. – Tu peux toujours y aller… Moi, il faut que je prenne de vraies vacances, dans une petite pension bien calme, avec un bon restaurant et une chaise longue dans le jardin… Tu vois ?

6. – Mais non, Laurence, du camping comme ça, c'est se libérer de tous les problèmes, respirer l'air pur, vivre dans la nature !

DELF ❷ **Complétez la conversation à partir des suggestions.**

En vacances dans les Côtes-d'Armor, en Bretagne, Sylviane et Marie-Ange voudraient visiter quelques endroits intéressants. Sylviane propose d'aller à Lamballe, au Musée d'art populaire. Marie-Ange n'est pas convaincue.

Arguments de Sylviane : Lamballe – un ancien duché, le Penthièvre – voyage dans le passé – armes et outils préhistoriques – statues anciennes – reconstitution de la vie quotidienne (poteries, costumes, objets de culte).

Arguments de Marie-Ange : préférence pour une visite en plein air, comme le Jardin zoologique de Bretagne, à Trégomeur – espace naturel – possibilité de manger dehors.

SYLVIANE : J'ai toutes les informations sur le musée d'Art populaire du pays de Lamballe. Quand est-ce qu'on y va ?

MARIE-ANGE : Tu veux vraiment y aller ? Parce que moi, ………………………………………

………………………………………………………………………………………………………

………………………………………………………………………………………………………

SYLVIANE : ………………………………………………………………………………………

………………………………………………………………………………………………………

………………………………………………………………………………………………………

MARIE-ANGE : Oui, oui, mais s'enfermer dans un musée, ce n'est pas drôle, surtout l'été.

SYLVIANE : ………………………………………………………………………………………

………………………………………………………………………………………………………

………………………………………………………………………………………………………

MARIE-ANGE : Moi, j'aimerais……………………………………………………………………

………………………………………………………………………………………………………

………………………………………………………………………………………………………

………………………………………………………………………………………………………

………………………………………………………………………………………………………

DELF ❸ En vacances à Cannes, Hélène, Bruno et leur fils Serge (12 ans) voudraient faire quelque chose de nouveau. Voici la proposition qu'Hélène fait à son mari et à son fils.

VOL AU-DESSUS DU NID D'AIGLE

niveau :
débutant parapente
toute l'année
Durée : 3 jours/2 nuits

Le climat de la Côte d'Azur offre des conditions de pratique idéales pour le parapente tout au long de l'année. Le pays de Grasse occupe une position privilégiée pour la pratique de cette activité, et quel moyen original pour la découverte du ciel, en toute confiance !

Au menu de ces 3 jours accessibles à tous et encadrés par des moniteurs diplômés d'état : séance de « pente école », notions théoriques, baptême de l'air.

Ce séjour sera aussi l'occasion de visiter le village en nid d'aigle de Gourdon et ses artisans, la ville médiévale de Grasse et les nombreux villages perchés des environs : Bar-sur-Loup, Châteauneuf-de-Grasse, Cabris, Spéracèdes, St-Cézaire-sur-Siagne. Le personnel d'accueil vous indiquera les bonnes réponses et les secrets de la Côte d'Azur des connaisseurs.

Prix par personne 3 jours/2 nuits	Hotel** La Bellaudière Grasse	Hotel** Campanile Chateauneuf-de-Grasse	Auberge * la Thébaïde Le Bar-sur-Loup	Camping *** Les Gorges du loup Le Bar-sur-Loup
Du 1/07 au 31/ 08	874	780	530	390

1. Notez les arguments les plus importants pour convaincre la famille de faire du parapente.
2. Imaginez la discussion des trois membres de la famille.

TRAVAIL...

 ## *Vocabulaire et orthographe*

❶ **À l'aide d'un dictionnaire, cherchez un mot (nom, adjectif, verbe...) de la même famille.**

Carrière : ➜ carriériste.

1. Entreprise : ....

3. Salaire : ....

2. Compétition : ....

4. Emploi : ....

❷ **1. Faites correspondre les définitions ci-dessous au mot qui convient.**

1. Carriériste ; **2.** la mobilité ; **3.** un entrepreneur ; **4.** compétitive ; **5.** un chômeur ;

6. une boîte ; **7.** un salarié.

.... **a.** C'est le chef d'une entreprise.

.... **b.** C'est un synonyme d'*entreprise* dans la langue parlée, mais on n'y va pas danser.

.... **c.** On le dit d'une personne qui pense seulement à sa carrière, sans trop de scrupules.

.... **d.** C'est une qualité des entreprises qui se battent pour vaincre la concurrence.

.... **e.** Il est payé, tous les mois, par son employeur.

.... **f.** Auparavant, il travaillait. Maintenant, il a perdu son emploi.

.... **g.** C'est un synonyme de *déplacement* qui concerne le personnel d'une entreprise.

2. Complétez ce texte à l'aide des mots ci-dessus.

Un cadre d'une entreprise se confie à un collègue :

Il ne me plaît pas, le nouveau. C'est un .... Quand il va voir notre patron, il n'arrête

pas de lui dire que notre .... doit être ...., qu'il faut réduire le nombre des

.... Il est vraiment insupportable ! Il ne se préoccupe pas du tout du nombre de

.... qui va augmenter : les seuls critères à suivre sont la .... de l'entreprise et la

.... du personnel !

❸ Classez ces expressions (dans un ordre d'intensité) de l'accord au désaccord.

.... **1.** – Oui, peut-être.

.... **2.** – Oui, si on veut.

.... **3.** – Mais pas du tout.

.... **4.** – D'accord.

.... **5.** – Non, ce n'est pas exactement comme ça.

.... **6.** – Alors là, non !

.... **7.** – Oui, effectivement.

.... **8.** – Oui, tout à fait d'accord.

❹ Classez dans le tableau les sons [ɛ̃] comme dans _pain_, [ɑ̃] comme dans _dent_, et [ɔ̃] comme dans _mon_.

Gaston, va répondre au téléphone.

1. Vous avez vu Corinne, dernièrement ?
2. Tu le sais bien, les diplômes sont une garantie contre le chômage.
3. Elles viennent demain, tes amies ?
4. Je suis contre les randonnées à pieds !
5. Dans cette région, on a bien protégé l'environnement.

le son [ɛ̃]	le son [ɑ̃]	le son [ɔ̃]
....	....	_Gaston_ ....
....	....	_répondre_ ....

Grammaire

❺ Conjuguez les verbes entres parenthèses.

Si Marie-Christine avait suivi mon conseil, elle (ne pas perdre son emploi).
➜ _Si Marie-Christine avait suivi mon conseil, elle n'aurait pas perdu son emploi._

1. S'il n'y avait pas eu de fermetures d'entreprises, le chômage dans la région (être) moins élevé. ....

2. Si vous aviez mieux préparé votre concours, vous (ne pas le rater).
....

3. S'ils avaient suivi ce stage de formation chez Bouygues, l'entreprise les (embaucher).
....

4. Si l'agence de son père n'avait pas fait faillite, il (avoir) un travail assuré.
....

5. Si tu avais envoyé ton curriculum vitae dans les délais prévus, on (ne pas refuser) ta demande d'embauche.
....

❻ À partir des suggestions, rédigez des phrases au passé qui expriment des conditions non réalisées.

S'il (pouvoir), il te (aider). ➜ S'il avait pu, il t'aurait aidé.

1. Si Charlotte (ne pas partir), elle (pouvoir) répondre à cette annonce.

....

2. Si vous (accompagner) vos invités à l'aéroport, ils (ne pas oublier) une valise dans le taxi.

....

3. S'ils me (prévenir) à temps, je (aller) à l'entretien.

....

4. Si je (savoir) la nouvelle, je te (téléphoner).

....

5. Si ta voiture (être) en meilleur état, tu (éviter) cet accident désagréable.

....

❼ Complétez ces phrases.

1. Si je suis élu président de la République, ...

2. Si j'étais ton père, ...

3. Si j'avais été P-DG de Renault, ...

❽ Remplacez le complément souligné par le pronom personnel qui convient.

Cette agence leur propose <u>des locations</u>. ➜ Cette agence leur en propose.

1. Il nous a apporté <u>le procès-verbal</u>. ....

2. J'y accompagne <u>mon fils</u> tous les jours. ....

3. Est-ce que tu m'expliques <u>cette règle</u> ? ....

4. Nous y avons rencontré <u>les Siclier</u>, pas toi ? ....

5. Il lui racontait <u>des histoires</u> tous les jours. ....

❾ Remplacez les compléments d'objet direct et indirect par les pronoms personnels qui conviennent.

Le moniteur d'auto-école a expliqué la marche-arrière à son élève.
➜ Le moniteur la lui a expliquée.

1. Il a promis une prime au personnel pour Noël. ....

2. Le comité proposera au maire un projet. ....

3. Nous offrons à Henri un stage linguistique en Australie. ....

4. Ma grand-mère envoyait des confitures à tous ses petits-enfants. ....

5. Tu transmettras mes salutations à ton directeur. ....

❿ Transformez ces phrases en utilisant l'impératif. Remplacez les compléments d'objet par des pronoms personnels.

Lui envoyer cette facture. ➜ *Envoie-la-lui !*

1. Me laisser tes clés demain. ....

2. Donner notre numéro de téléphone à Danièle. ....

3. Me présenter ton nouveau copain. ....

4. Leur acheter des timbres. ....

5. Confirmer à Daniel mon arrivée. ....

⓫ Complétez cette lettre avec les pronoms personnels qui conviennent.

Mon cher frère,

Sais-tu que je n'arrive jamais à .... avoir au téléphone ? C'est pour cela que je

.... envoie exceptionnellement cette lettre ! J'ai vu nos parents ; ça .... fait de

la peine de ne jamais avoir de tes nouvelles. Donc, appelle-............ un de ces jours, ça

.... fera plaisir. Fais .... savoir ce qu'il en est de notre projet de vacances. Et

tes copains, René et Stéphanie, on .... propose ou pas de venir avec nous ? Je

n'............ tiens pas particulièrement, mais si tu veux .... inviter, je n'ai rien contre

non plus. Comment va Priscilla ? Tu .... diras plein de choses de ma part.

Je .... embrasse.

Sylvain

Expression

Courrier des lecteurs

- Je n'ai pas du tout aimé le débat télévisé de jeudi soir sur une question très actuelle : Comment une population active de moins en moins importante peut-elle financer la vie d'inactifs de plus en plus nombreux ? Bien sûr, les arguments des uns et des autres étaient clairs, mais ils ne correspondent pas à la réalité quotidienne. Il est simpliste de dire qu'on a d'une part le travail et d'autre part la qualité de la vie et qu'il faut choisir entre l'un et l'autre. La qualité de la vie, c'est aussi avoir un travail intéressant et valorisant. Et être au chômage avec beaucoup de temps libre sans avoir assez d'argent pour vivre correctement, c'est tout le contraire de la qualité de la vie.
- De plus, personne n'a parlé des problèmes de santé qui touchent souvent les gens sans travail.
- Finalement, cette émission n'a rien appris à personne, mais elle en a certainement déçu plus d'un.

Michael

⓬ Lisez la lettre et cochez les bonnes réponses.

1. Qui a écrit cette lettre ?

un téléspectateur qui donne son opinion sur un débat télévisé ❑

un lecteur qui n'est pas content de son journal ❑

un syndicaliste ❑

2. À qui s'adresse-t-elle ?

à une chaîne de télévision ❑

aux personnes qui ont participé à l'émission ❑

à un journal ❑

DELF **⓭ Écrivez un petit texte avec les phrases données dans le désordre. Mettez les éléments suivants à la bonne place :** *de plus – d'autre part – bien sûr – d'une part – mais – et.*

Si j'acceptais d'aller travailler à Paris, …

…ma femme devrait quitter son travail…

…je gagnerais plus…

…je pense que ce ne serait pas un bon choix.

…les loyers sont plus élevés.

…elle trouverait difficilement à Paris un travail dans sa branche.

…les enfants seraient très malheureux sans la plage et sans leurs copains.

DELF **⓮ Votre magazine préféré a publié un article sur l'emploi des jeunes. L'auteur écrit que les jeunes sont peu qualifiés, qu'ils n'aiment pas le travail physique et qu'en plus, ils demandent des salaires élevés. Vous écrivez au courrier des lecteurs pour exprimer votre désaccord.**

Vous pouvez utiliser les arguments suivants :

– Les entreprises ne font pas confiance aux jeunes.

– L'avenir d'un pays dépend des jeunes.

– Si les jeunes sont peu qualifiés, c'est parce que l'école les a mal formés.

❶ Patrick, annonce à sa femme, Nicole, que son entreprise de la banlieue lyonnaise va fermer pour s'installer ailleurs. La direction a fait deux propositions aux employés : une prime de 10 000 francs ou un nouveau poste dans l'entreprise délocalisée au Portugal.

Complétez les répliques de Patrick et continuez la conversation.

PATRICK : ....

NICOLE : Tu parles sérieusement ? *Lugdunum-Vitres* ferme ?

PATRICK : ....

NICOLE : Et les employés, qu'est-ce qu'ils vont devenir ?

PATRICK : ....

NICOLE : Aller au Portugal ? Ce n'est pas possible. Comment vais-je faire avec mon travail ?

DELF ❷ **Complétez la suite de la discussion.**

Patrick et Nicole discutent longuement. Ils décident de refuser la prime. Finalement, l'idée de s'installer dans un nouveau pays les attire, mais à une condition…

PATRICK : Examinons les choses calmement. D'abord, je ne suis pas d'accord avec cette proposition de prime. C'est une manière facile de se débarrasser des gens.

NICOLE : *[Exprime son accord et le justifie : six mois de salaire = somme trop faible.]*

....

PATRICK : *[Propose de s'installer au Portugal : pays intéressant, beaux paysages…]*

....

NICOLE : Oui, si on veut, mais un seul salaire ne va pas nous suffire.

PATRICK : *[Insiste et argumente : vie moins chère, pays au climat agréable, possibilité de faire des voyages…]*

....

NICOLE : Oui, d'accord, on pourra voyager, connaître de nouveaux pays, mais avec quel argent ?

PATRICK : *[Propose de demander un poste pour sa femme, dans l'entreprise délocalisée au Portugal.]*

....

NICOLE : Oui, si je pouvais travailler moi aussi, ce serait parfait ! On pourra toujours revenir à Lyon pour les vacances !

DELF ❸ Un journaliste a interrogé Mme Adeline Hazan, nouvelle député, élue aux élections législatives de juin 1997, comme un bon nombre d'autres femmes.

Inspirez-vous des informations de la note pour imaginer les questions du journaliste et les réponses de l'interviewée.

ADELINE HAZAN, 41 ANS.
« MADAME IMMIGRÉS. »

Député depuis dimanche, juge des enfants à Paris, présidente du syndicat de la Magistrature de 1986 à 1989, elle adhère au Parti socialiste en 1992. Membre du groupe d'experts sur la citoyenneté et l'exclusion, elle est l'auteur d'un remarquable rapport sur l'immigration.

LES ÉTRENNES

▶ **1. Répondez aux questions suivantes avant de lire le texte.**

    a. À quelle date est-ce qu'on fête Noël ? ....

    b. Est-ce qu'on fête Noël dans votre pays ? ....

    c. Est-ce que dans votre pays on fait des cadeaux à Noël ou au début de l'année ? Si oui, à qui ?

    ....

    ....

▶ **2. Lisez les définitions suivantes.**

Le barème : tarif, tableau des prix.

Les étrennes : cadeau qu'on fait à quelqu'un à Noël ou au début de l'année (souvent pour le remercier).

Gratifier quelqu'un : donner quelque chose à quelqu'un (pour le remercier).

Le gardien, la gardienne (de l'immeuble) : le/la concierge.

Panacher : mélanger, combiner.

Le facteur : employé de la Poste qui apporte le courrier.

Les pompiers : les « soldats du feu », personnes qui combattent les incendies.

Les éboueurs : employés qui vident les poubelles, qui enlèvent les ordures ménagères.

▶ **3. Lisez l'article du magazine sans vous arrêter, même si vous ne comprenez pas tout, puis soulignez dans le texte les mots qui sont donnés dans les définitions.**

LE BARÈME DES ÉTRENNES

La tradition, ça a du bon, mais ça crée aussi des obligations... pour se montrer irréprochable en période de Noël, il faut savoir combien donner au gardien, quand envoyer ses vœux, et comment choisir ses cadeaux d'affaires !

LES ÉTRENNES DU GARDIEN...

Les interphones et autres systèmes de sécurité n'ayant pas encore totalement remplacé les gardiens (c'est heureux !), il reste d'usage, au 1er janvier, de gratifier ces derniers.

● S'il n'existe pas de « barème syndical » en la matière, il est généralement conseillé d'offrir une somme comprise entre 0,5 et 2 % du loyer annuel... toutefois, c'est plutôt en fonction du standing de l'immeuble, des relations avec les dits gardiens et des services rendus que sera déterminé le montant des étrennes.

● Quoi qu'il en soit, « le petit cadeau » ne devra pas se présenter sous forme de chèque mais de billets, de préférence non chiffonnés, glissés dans une enveloppe et accompagnés d'une carte. Et si le don d'argent vous choque, rien ne vous empêche d'offrir une bonne bouteille de champagne ou une boîte de chocolat... en sachant néanmoins que les espèces sonnantes et trébuchantes seront nettement plus appréciées ! Autre possibilité : panacher les deux.

▶ 4. **Relisez la partie de l'article** *Les étrennes du gardien....* **Soulignez tous les mots qui désignent ce qu'on peut donner au gardien et classez-les en deux catégories :**

    a. étrennes sous forme d'argent : ....

    b. autres formes de cadeaux : ....

Qu'est-ce que les gardiens préfèrent, de l'argent ou un autre cadeau ?

▶ 5. **Relisez la dernière partie du texte** *...du facteur, du pompier...*

    a. À qui est-ce qu'on donne des étrennes en France ?

....

....

    b. À qui est-ce qu'on devrait demander un document officiel si on ne le connaît pas ?

....

....

    c. En général, combien est-ce qu'on devrait donner à une jeune fille au pair ?

....

....

LE BARÈME DES ÉTRENNES

... DU FACTEUR, DU POMPIER...

Les étrennes ne constituent toutefois pas l'apanage des seuls gardiens. Il est également d'usage de donner aux pompiers, au facteur et aux éboueurs. La somme quant à elle dépend non seulement de vos finances mais aussi et surtout du bons sens et des services que vous attendez d'eux : si vous souhaitez que le facteur vous monte vos nombreux colis, la générosité sera de mise ; même chose si vous êtes du genre à crier « au feu les pompiers ! » tous les 15 jours et que vous frisez la crise d'apoplexie si un mégot échappé de la poubelle est tombé devant votre porte...

● Bref, à vous de fixer le tarif. Et pour être sûr que la personne qui se présente à votre porte est bel et bien éboueur ou pompier dans votre commune, n'hésitez pas à lui demander son accréditif !
Inutile en revanche de faire de même avec le gardien ou le facteur : vous les connaissez ! Même chose pour la femme de ménage ou la jeune fille au pair, qu'il est également d'usage de gratifier en cette période. Pas de règle là non plus, mais il est de bon ton de donner entre 15 jours et un mois de salaire... À vot'bon cœur ! [...]

Inès Shobinger, « Le Barème des étrennes »,
Réponse à tout ! n° 53 – décembre 1994.

LOISIRS

 Vocabulaire et orthographe

❶ Reliez ces abréviations (que l'on retrouve dans les magazines consacrés au cinéma) aux genres de film correspondants.

a. Film d'aventures
b. Comédie dramatique
c. Drame psychologique
d. Documentaire
e. Film policier
f. Film de science-fiction
g. Film musical

1. FM
2. DC
3. SF
4. CD
5. AV
6. DP
7. PO

❷ Quels sont vos goûts ? Complétez les phrases avec des mots de l'exercice précédent.

1. Si vous aimez avoir peur et voir les méchants en prison, vous allez voir ....

2. Si vous êtes plein d'imagination et que vous rêvez d'autres mondes, vous choisissez

....

3. Si vous aimez les beaux paysages, les animaux, les pays exotiques, votre préférence ira

aux ....

4. Si l'action vous attire, si vous êtes fasciné par les héros courageux, vous irez voir

....

5. Si vous aimez les histoires, mais pas nécessairement celles qui finissent bien, vous choi-

sissez ....

❸ Choisissez le bon mot ! Aidez-vous d'un dictionnaire, si nécessaire.

1. Quand on va au cinéma, on peut choisir
2. Pour voir un film, il faut avoir payé
3. La personne qui vous conduit à une place est
4. La première projection d'un film s'appelle
5. L'endroit où a lieu la projection du film est

a. la première
b. le billet
c. l'ouvreuse
d. une salle
e. sa séance

Hé, attention à la marche...

❹ Complétez cette conversation avec les mots de l'exercice précédent.

1. Alors, à quelle .... on va ? À celle de 14 heures ou à celle d'après ?

2. Je préfère celle de 16 heures. Je suis en réunion jusqu'à 15 heures au moins. Mais tu pourrais acheter les .... dès maintenant. On ne fera pas la queue.

3. D'accord. Et il faudra ne pas se tromper de ...., comme j'ai fait la dernière fois.

4. C'est l'............ qui m'a dit que ce n'était pas le bon film !

5. Tu ne devrais aller qu'aux .... ! Tu ne te tromperais plus.

❺ Lisez ce texte et complétez-le par *ce* ou *se*. *Ce* et *se* se prononcent de la même manière : [sə].

1. Je ne comprends pas .... que tu dis : .... sont les noms en *-ou* qui ont un pluriel en *-oux* ?

2. Pas tous, ... n'est pourtant pas compliqué !

3. Alors, ... sont lesquels ?

4. .... sont, par exemple, *bijou, genou* et quelques autres. Ma mère .... rappelle toute la liste ! Quand elle étudiait le français, ... genre de règles devait être appris par cœur.

Grammaire

❻ Formez le gérondif à partir de la première personne du pluriel au présent.

	Aller	*nous allons*	*en allant*
1.	Dire	....	....
2.	Voir	....	....
3.	Suivre	....	....
4.	Prendre	....	....
5.	Avoir	....	....
6.	Venir	....	....
7.	Regarder	....	....

En allant chez Paul, il a rencontré ma cousine !

❼ Transformez, comme dans l'exemple.

J'allais au bureau, j'ai rencontré Georges.
➜ *En allant au bureau, j'ai rencontré Georges.*

1. Nous regardions le film, nous nous sommes beaucoup amusés.

....

2. Il tournait la dernière scène, il est tombé maladroitement.

....

3. Elle entrait dans la salle, elle a vu un vieil ami.

....

4. Le metteur en scène répondait aux questions, il a annoncé son prochain tournage.

....

5. Vous alliez à la première du film, vous avez rencontré le réalisateur.

....

8 **Transformez, comme dans l'exemple.**

Si vous travaillez régulièrement, vous réussirez votre examen.
➜ *En travaillant régulièrement, vous réussirez votre examen.*

1. Si tu te nourris bien, tu seras en bonne santé.

....

2. Si vous suivez le plan, vous arriverez sans problèmes.

....

3. Si tu lis le mode d'emploi, tu pourras monter ton vélo.

....

4. Si vous fermez ces fenêtres, vous éviterez des courants d'air.

....

5. Si vous regardez des films en version originale, vous apprendrez mieux les langues étrangères. ....

9 **Lisez les phrases suivantes et soulignez les verbes suivis du subjonctif.**

1. Elle veut que je l'attende devant le cinéma Le Rex.
2. Il souhaite que tu finisses ce travail le plus tôt possible.
3. Il est indispensable que l'État aide les jeunes acteurs.
4. Nous regrettons qu'il n'y ait plus de places pour la première.
5. Je ne pense pas que tu puisses arriver pour la séance de 22 heures.
6. Il n'est pas sûr que le tournage du dernier James Bond se fasse dans les Pyrénées.

10 **Faites des phrases avec *vouloir – regretter – souhaiter – ne pas penser – il + (ne pas) être nécessaire/important/indispensable/sûr...***

Vous – nous – rentrer avant minuit. ➜ *Vous voulez que nous rentrions avant minuit.*

1. Elles – on – accompagner devant chez elles.
....

2. Il – vous – prendre vos papiers pour sortir le soir.
....

3. Nous – la seule salle de cinéma de la ville – être en travaux.
....

4. Elles – la réduction – être valable le samedi.
....

5. Justin – son rendez-vous – être à 10 heures.
....

⑪ Complétez cette conversation.

1. Je crains que nous (être en retard) ………… . Voilà, la séance a déjà commencé ! On attend la prochaine ?

2. Tu ne veux pas que je (rester) ………… ici, au froid, à attendre…

3. Bien sûr que non. Il faut qu'on (aller) ………… chercher un petit café en attendant l'heure de la prochaine séance.

4. Je ne crois pas que nous (pouvoir) ………… en trouver un d'ouvert, à cette heure-ci.

5. Tu le crois vraiment ? Il est étonnant que dans ce village tout (être fermé)………… à 20 heures !

⑫ Exprimez vos sentiments.

1. Vos doutes : « Tous les spectacles de théâtre sont gratuits pendant une semaine. »

Je doute que…………………………………………………………………………………………………

2. Votre souhait : « Elle vient me voir. »

Je souhaite…………………………………………………………………………………………………

3. Votre étonnement : « Il quitte son emploi. »

………

4. Votre crainte : « Nos amis se trompent de chemin. »

………

Expression

CINÉ PASSIONS

Il y a quelques semaines, nous vous demandions de nous écrire. De nous parler de votre passion du cinéma. Nous avons reçu des centaines de lettres. Chacune de ces lettres raconte une aventure personnelle avec le cinéma.

La plus jeune à nous écrire est Mélissa, douze ans et demi. Elle nous raconte que la passion du cinéma lui est venue en allant voir *L'Incroyable Voyage*, un film de Walt Disney. Depuis ce jour-là, si elle ne va pas en salle au moins une fois par mois, ça lui manque.

À l'opposé Jean-Thierry, né en 1915. Il se souvient du jour où, étudiant, il a découvert *La Grande Illusion*. « À la retraite depuis quinze ans, je me délecte[1] trois fois par semaine en salle et cinq ou six fois devant le petit écran. »

C'est à la télé qu'Alice, 20 ans, a eu le coup de foudre pour le cinéma. « En voyant les Marx brothers j'ai compris qu'il y avait aussi un intérêt dans les films en noir et blanc et j'ai vu beaucoup de films noirs des années 40, essentiellement ceux avec Bogart. Actuellement, je suis dans ma période cinéma italien, surtout les comédies de Scola, mais aussi Visconti et, bien sûr, Fellini. »

1. Se délecter : prendre plaisir.

⑬ Lisez le texte et cochez la bonne réponse.

Le texte est extrait :

d'un article de magazine ❑   d'un livre sur le cinéma ❑   d'un roman policier ❑

⑭ Repérez comment l'auteur du texte présente les personnes qui lui ont écrit.

....

....

....

⑮ Mettez dans l'ordre l'extrait de lettre suivant et rétablissez la ponctuation.

Je trouvais cela formidable
Bernadette nous explique
À Marseille, quand j'avais six ou sept ans
comment sa mère lui a appris à aimer le cinéma
ma mère m'emmenait voir deux films le mercredi après-midi

⑯ Relevez dans le texte les éléments qui expriment la passion du cinéma de Mélissa, Jean-Thierry et Alice.

....

....

....

DELF ⑰ Trois amis parlent de leur passion pour le cinéma autour d'une table : Philippe 20 ans, Nordine 28 ans et Bruno 45 ans.

> PHILIPPE : Pour moi, ce que j'aime dans un film c'est l'action. Dans un film il faut qu'il y ait un rythme rapide.
> NORDINE : Oui, je sais, toi, tu vas voir des films à grand spectacle dans des grandes salles. Alors que moi, j'aime les vieux films en noir et blanc qui passent seulement dans des petites salles.
> BRUNO : Dans un film, il y a des images, des mots et de la musique. Moi, je suis musicien et ce qui me touche le plus c'est la musique. J'adore les comédies musicales.

Faites le compte rendu de la conversation de ces trois amis. Suivez le plan suivant :

.... aime ....

À l'opposé, ...

Quant à ...., il explique ....

⑱ Écrivez un petit texte à partir des informations suivantes :

Mme Richard – retraite – cinq ans – découvrir le cinéma – 17 ans – aimer les films policiers – comédies – aller au cinéma – toutes les semaines

DELF ⑲ Votre magazine préféré demande à ses lecteurs de parler de leur passion du cinéma. Vous répondez et vous expliquez comment vous avez découvert le cinéma, avec qui vous y êtes allé pour la première fois, quels sont vos films préférés.

⑳ Complétez ce texte avec les éléments suivants :

version originale – extraordinaire – histoire d'amour – vie – dialogues – séduisante – regards.

Si vous avez la chance d'avoir un cinéma qui passe des films en .... dans votre ville, ne manquez surtout pas *Nelly et Monsieur Arnaud* de Claude Sautet. Une grande .... où le sexe et la vulgarité n'ont aucune place, où tout est dit dans des .... vrais, simples et beaux, dans les........................., dans un détail du décor. La .... de tous les jours avec ses petits et ses grands problèmes – et la passion.

Emmanuelle Béart (dans le rôle de Nelly) est ...., et Michel Serrault (monsieur Arnaud) nous montre, une fois de plus, quel .... comédien il est.

Conversations

CULTURE EN LIBERTÉ

❶ Replacez les répliques suivantes dans les conversations A et B.

1. – Un film à la télé, ce n'est pas la même chose qu'au cinéma !
2. – Mais pas du tout. Les salles ne ferment plus tellement, en ce moment.
3. – Quelle est la différence ? À la maison, on est mieux que dans un fauteuil de cinéma !
4. – Mais il est rare que de nouvelles salles ouvrent…

Conversation A

a. – Je crois que l'industrie cinématographique est en crise…

b. – ....

c. – ....

d. – Oui, ce n'est pas fréquent, mais on assiste à de gros changements. On peut voir cinq ou six films dans le même cinéma. Je ne crois pas qu'on puisse appeler ça une crise !

Conversation B

a. – J'aimerais bien que l'on passe tous les nouveaux films à la télé.

b. – ....

c. – ....

d. – C'est l'atmosphère qui change ! Et puis, il y a le charme du grand écran !

2 **Relisez la conversation B de l'exercice précédent. Que pensez-vous de cette polémique sur cinéma et télévision ? Aidez-vous des suggestions.**

– *Moi, je préfère*..

parce que...

– *Selon moi, il est important*...

– *Je ne crois pas que*..

– *À mon avis, il faut que*...

DELF **3** Henri Danon, employé, veut s'acheter un magnétoscope. Ainsi, il pourra voir tous les films qu'il aime, à n'importe quelle heure. Son épouse, Annie, n'est pas d'accord : ils sortent déjà rarement ; avec un magnétoscope, ils sortiraient encore moins.

1. **Faites la liste des arguments d'Henri et d'Annie.**
2. **Imaginez leur discussion.**

ÉTATS D'ÂME

Vocabulaire et orthographe

1 **Complétez les phrases suivantes. Utilisez des expressions qui servent à se plaindre.**

Nous sommes vraiment très .... de tes résultats scolaires !

➔ *Nous sommes vraiment très déçus de tes résultats scolaires !*

1. Tu arrives toujours en retard. C'est la troisième fois. C'est .... !

2. Toutes les entreprises ont répondu négativement à ma demande. Je n'ai vraiment pas

de ....

3. Messieurs, j'ai une mauvaise nouvelle à vous annoncer : la situation de notre banque est

....

4. Ça ne peut plus continuer comme ça. Il faut que ça .... !

5. Encore des heures supplémentaires non payées : je n'en .... !

2 **1. Trouvez les noms qui correspondent aux verbes. Consultez un dictionnaire, si nécessaire.**

Verbes	Noms	
Être mécontent	➔ *le mécontentement* (masculin)	
a. Se plaindre	....	(f.)
b. Décevoir	....	(f.)
c. Protester	....	(f.)
d. Manifester	....	(f.)
e. Expliquer	....	(f.)
f. Changer	....	(m.)
g. Développer	....	(m.)

2. Répondez aux questions.

a. Le suffixe en *-ment* forme des noms de quel genre ? ....

b. Le suffixe en *-tion* forme des mots de quel genre ? ....

❸ Complétez le tableau en relevant les sons [s] comme dans age<u>n</u>ce, ab<u>s</u>ent, [z] comme dans cri<u>s</u>e et [ʃ] comme dans <u>ch</u>amp.

Ce<u>s</u> articles <u>s</u>ont <u>ch</u>ers !

1. J'aime les films policiers et toi ?
2. C'est un personnage très sensible et touchant.
3. C'est une histoire psychologique compliquée.
4. L'organisation de notre soirée n'a pas été simple !

le son [s]	le son [z]	le son [ʃ]
<u>c</u>es	....	<u>ch</u>ers
<u>s</u>ont	....	....

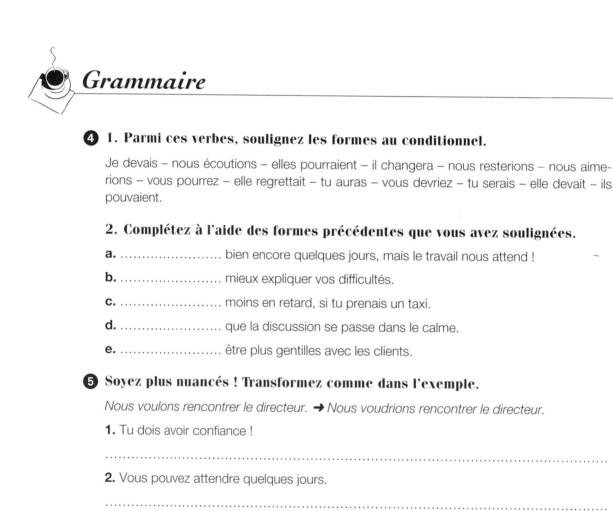

Grammaire

❹ **1. Parmi ces verbes, soulignez les formes au conditionnel.**

Je devais – nous écoutions – elles pourraient – il changera – nous resterions – nous aimerions – vous pourrez – elle regrettait – tu auras – vous devriez – tu serais – elle devait – ils pouvaient.

2. Complétez à l'aide des formes précédentes que vous avez soulignées.

a. .... bien encore quelques jours, mais le travail nous attend !

b. .... mieux expliquer vos difficultés.

c. .... moins en retard, si tu prenais un taxi.

d. .... que la discussion se passe dans le calme.

e. .... être plus gentilles avec les clients.

❺ **Soyez plus nuancés ! Transformez comme dans l'exemple.**

Nous voulons rencontrer le directeur. → *Nous voudrions rencontrer le directeur.*

1. Tu dois avoir confiance !

....

2. Vous pouvez attendre quelques jours.

....

3. Elle peut s'adresser au commissariat de police.

....

4. Pour convaincre les autres, ils doivent trouver des arguments nouveaux.

....

5. Je veux que mes amis comprennent mon choix.

....

6 **Lisez et mettez au passé.**

Vous pourriez vous lever plus tôt !
➜ *Vous auriez pu vous lever plus tôt !*

1. Tu devrais lui parler !

....

2. Elle pourrait faire un effort pour trouver une solution.

....

3. Je t'accompagnerais bien, mais ma voiture est en panne.

....

4. Ils accepteraient la proposition, mais les conditions ne sont pas claires.

....

5. Nous aimerions être écoutés.

....

7 **Complétez par les verbes proposés, au mode et au temps qui conviennent.**

Il (falloir) .... empêcher les voitures de circuler en ville !
➜ *Il faudrait empêcher les voitures de circuler en ville !*

1. Nous (vouloir/aimer) .... visiter tous les pays que nous ne connaissons pas.

2. Si tu le voyais, tu ne le (reconnaître) .... pas : il a tellement changé !

3. S'il avait fait beau, vous (pouvoir) .... vous baigner à la mer.

4. J' (vouloir) .... leur donner des conseils, mais je n'ai pas pu !

5. Ses parents se demandaient si Didier (revenir) .... un jour des États-Unis.

8 **Lisez et complétez avec : *craignait – repeignant – s'était plaint – rejoindre – restreint – repeignaient – atteint.***

En .... sa maison de campagne, Roger .... de se tromper de

couleur. Le choix entre les différentes couleurs était assez .... il est vrai, mais

le dosage était délicat. Il a alors demandé à un ami peintre de le .... en

Normandie, pour lui donner un coup de main. Pour le convaincre, Roger .... :

il lui avait dit qu'il se sentait un peu abandonné par les amis. Objectif .... ! Le

jour suivant, André et Roger .... ensemble la maison : maintenant la couleur

des murs est superbe !

❾ Complétez à l'aide des bonnes formes de : *peindre – éteindre – rejoindre – craindre – se plaindre.*

Ne laisse pas toutes les lumières allumées. ....-les !
→ *Ne laisse pas toutes les lumières allumées. Éteins-les !*

1. Jean-François .... sa famille qui était en vacances à Chamonix.

2. Ce jeune artiste .... avec une technique nouvelle.

3. Mme Mercier .... souvent auprès de ses voisins du bruit qu'ils faisaient.

4. Tu as peur ? Mais qu'est-ce que tu .... ?

❿ Voici des messages affichés dans les salles de cours. Remplacez la structure *il faut + subjonctif* **par l'***infinitif.*

1. *Il faut que vous éteigniez les lumières : c'est économiser de l'énergie !*
→ *Éteindre les lumières, c'est économiser de l'énergie !*

2. Il faut que vous rangiez les chaises et les tables, c'est respecter le personnel qui fait le ménage ! ....

3. Il faut que vous laissiez le tableau propre : c'est respecter les collègues du cours suivant ! ....

4. Il faut que vous fermiez les fenêtres : c'est plus prudent ! Merci !

....

⓫ Lisez ces phrases et faites une liste de ce qu'il faut éviter quand on commence à travailler dans une entreprise. Utilisez *ne pas – ne jamais – ne rien + infinitif.*

Il est toujours absent le lundi. → *Ne jamais s'absenter le lundi.*

1. Il oublie ses dossiers à la maison. ....

2. Il répond au téléphone à la place du directeur. ....

3. Après les réunions, il oublie tout. ....

Expression

• *Comment s'amuser dans une fête*

La dernière fois que vous êtes allée à une fête, cela n'a pas été formidable. Vous n'avez pas eu de chance, d'accord. Le garçon qui vous accompagnait s'est endormi avant minuit, personne n'est venu vous parler. Mais la prochaine fois vous voulez que cela change. Comment faire ?

• *Mise en condition*

JOUR J MOINS 2
Mettre au point sa toilette. Dévaliser, si besoin, le placard d'une amie pour ne pas s'énerver à la dernière minute parce qu'on n'a rien à se mettre. Ce soir, on sera la plus belle... mais à l'aise pour danser : talons pas trop hauts, jupe pas trop serrée.

J MOINS 1
– S'entraîner sur les derniers tubes[1].
– Inviter un ou deux copains marrants pour ne pas arriver seule à la fête.
– Ne rien attendre d'exceptionnel de la soirée, mais se jurer que, cette fois, on fera tout pour s'amuser.

● *ACTION*

– Inutile d'arriver trop tôt, on s'endort avant l'arrivée des invités les plus drôles.

– Laisser son air sérieux au vestiaire. Sourire, même si le début de la soirée vous semble morose.

– Prendre un peu de distance avec les copains qui vous ont accompagnée. Le but ? Rencontrer des gens nouveaux.

– Seule ? S'approcher d'un(e) invité(e) isolé(e). De préférence, un garçon ou une fille avec une bonne tête, et se persuader que c'est la personne la plus intéressante de la planète. Après, il suffit d'aller vérifier.

– Timide ? Se placer près du buffet : aider les gens à se servir permet d'entrer en contact.

– Danser, même si on n'a pas très envie. L'envie viendra.

– Il ne se passe rien sur la piste de danse ? Aller dans la cuisine, l'endroit stratégique où les invités viennent se recharger. Pas mal non plus : le couloir un peu étroit, le petit coin où les filles se maquillent. Si vous empêchez le passage, on sera bien obligé de vous parler…

1. Tube : chanson à la mode.

⑫ Lisez le texte et cochez les bonnes réponses.

1. Ce texte est un extrait :

d'une lettre à une amie ❏

d'un article de magazine ❏

2. Dans l'introduction l'auteur emploie le pronom *vous*. Il s'adresse :

à une personne en particulier qui lui a demandé des conseils ❏

aux lecteurs en général ❏

uniquement aux lecteurs qui s'ennuient dans les fêtes ❏

⑬ Quelle est la forme des verbes dans les phrases où l'auteur donne les conseils ?

....

DELF **⑭ Vous voulez donner des conseils à un(e) ami(e) très proche. Utilisez *il faut que…*/*tu devrais…***

Dites-lui :

1. comment s'habiller

2. de s'entraîner à danser le tango

3. de ne pas danser uniquement avec son ami(e)

4. de ne pas arriver en retard.

DELF **⑮ Votre meilleur ami est un garçon un peu timide et il est invité à une fête et il se pose beaucoup de questions. Vous lui écrivez pour lui donner des conseils. Suivez le plan suivant et utilisez l'impératif.**

Je viens de lire ta lettre. Tu me demandes des conseils pour te préparer à une fête où tu ne connais personne. Ne t'inquiète pas. Tout se passera bien. Voici le plan que je te propose :

Jour J. moins 2

Jour J. moins 1

Jour J. dans l'après-midi

Action

Conversations

❶ Mettez les répliques dans le bon ordre.

.... **1. –** Vous savez bien que le mois dernier votre fils avait déjà fait la même chose. Trop, c'est trop !

.... **2. –** Et pourquoi pas, s'il l'a déjà fait une fois ! Tout ça est inadmissible !

.... **3. –** Je suis désolé, mais…

.... **4. –** Bonjour, Monsieur Frapperie, c'est Mme Deschamps, votre voisine, à l'appareil. Vous savez que j'ai des plantes dans l'escalier. Et bien, quelqu'un a encore mis de l'essence dans la terre.

.... **5. –** Mais, madame, je ne peux pas croire que mon fils ait fait ça une seconde fois !

DELF ❷ Complétez la conversation.

> Marthe est très déçue : elle a découvert que son copain, Robert, sortait avec une autre jeune femme. Malgré cela, il est toujours gentil avec elle : il lui téléphone souvent, l'invite au restaurant… Christiane, son amie, l'encourage et lui conseille de partir pendant deux ou trois semaines pour oublier cette situation.

MARTHE : Christiane, je n'en peux plus. *[Elle raconte.]* J'ai découvert ....
....

CHRISTIANE : *[Elle demande des précisions sur le comportement de Robert.]* ....
....

MARTHE : *[Elle répond.]* ....
....

CHRISTIANE : Tout ça n'est pas grave. Je suis sûre que Robert t'aime encore. ....
....

MARTHE : *[Elle exprime sa déception, se plaint]* ....
....

CHRISTIANE : *[Elle lui donne des conseils.]* ....
....

DELF ❸ De retour de New York à Paris, M. Bielle a attendu inutilement ses bagages pendant deux heures à l'aéroport de Paris. Très irrité, il s'adresse à un employé de la compagnie Air France pour se plaindre et protester. L'employé prend ses coordonnées et lui conseille de rester calme, de rentrer chez lui et d'attendre que ses bagages arrivent.

Préparez les répliques puis jouez la scène.
Utilisez les expressions : *personne ne veut m'écouter – il est inadmissible que…*
– *Personne ne veut m'écouter ici, mais ça fait deux heures que………*

Sondages

QU'ALLEZ-VOUS VOIR AU CINÉMA ?

■ Les films préférés des jeunes.

Luc Besson et Steven Spielberg sont les deux réalisateurs les plus aimés des Français. Un sondage a été réalisé par le magazine de cinéma Première ; Pour ses lecteurs, des jeunes pour la plupart, les films de ces vingt dernières années à mettre en tête du palmarès sont :

Films de Steven Spielberg :
– *La Guerre des Étoiles*, 1977 (1re place) ;
– *ET*, 1982 (5e place) ;
– *La Liste de Schindler*, 1993 (6e place) ;

Films de Luc Besson :
– *Le Grand Bleu*, 1988 (2e place) ;
– *Léon*, 1994 (17e place).
– Il faut ajouter *Le Cinquième Élément*, film de science-fiction présenté au festival de Cannes en 1997, qui a connu un très grand succès.

1. Parmi ces films, lesquels sont, des films de science-fiction ? Lequel est un film historique ? Aidez-vous des titres.
2. Avez-vous vu certains de ces films ? Lesquels ? Avez-vous aimé ?

•••••••••••••••• Besson, « le nouveau Spielberg » ••••••••••••••••

Le magazine *Première* a organisé une rencontre entre Luc Besson et Steven Spielberg, qui a eu lieu en novembre 1996. En voici quelques extraits.

BESSON : Pour *La Liste de Schindler* vous avez tourné en Pologne ?

SPIELBERG : Oui, chaque plan. Nous avons au moins un point commun, c'est d'avoir réalisé un projet qui nous tenait à cœur : vous êtes en train de réaliser votre film de science fiction [*Le Cinquième Élément*, qui sortira quelques mois plus tard], et moi, j'ai enfin fait mon film sur l'holocauste. Ce qui est amusant, c'est que généralement c'est moi qui fais des films de science-fiction, et vous des films plus personnels. D'une certaine façon, on s'est chacun assis dans le fauteuil de l'autre.

BESSON : Le premier de vos films à être diffusé en France était *Duel*. Je ne sais pas si vous étiez là, mais vous avez remporté le grand prix du festival d'Avoriaz*.

SPIELBERG : Je n'étais pas là, mais j'en ai entendu parler.

BESSON : À cette époque, il y a vingt ans, c'était vraiment quelque chose ! Ce qui est amusant, c'est que, une petite dizaine d'années après, je suis allé à Avoriaz pour présenter *Le Dernier Combat*. Et moi aussi, j'ai gagné. Au même âge que vous à l'époque. Et tous les journaux ont titré sur « le nouveau Spielberg », etc. C'était la première fois que mon père découpait un journal et la première fois qu'il m'a montré qu'il était fier de moi.

(D'après *Première*, *Spécial vingt ans*, numéro hors série, 1997.)

* Avoriaz : station de sports d'hiver de Haute-Savoie, où a lieu, depuis 1973, *Le Festival international du film fantastique*.

2 Lisez cet entretien et répondez aux questions.

1. Voici le résumé de deux réponses de Spielberg et de Besson. Associez-les aux répliques correspondantes.

a. J'ai eu le même prix que vous, mais dix ans plus tard. On a dit que ma manière de faire des films ressemblait à la vôtre.

b. Moi, j'ai fait un film qui parle d'une période historique très triste pour l'Europe, et vous, vous réalisez un film de science-fiction. Nos rôles se sont, pour une fois, inversés.

2. Préférez-vous les films de science-fiction ou ceux à contenu historique ? Pourquoi ?

3. Y a-t-il des festivals du cinéma dans votre pays ? Dans quelle(s) ville(s) se tiennent-ils ?

4. Avez-vous l'occasion de voir des films français, en version originale ? Dans quel genre de salles ?

La France et la décentralisation

François Mitterrand, l'ancien président de la République, a déclaré en 1981 : « La France a eu besoin d'un pouvoir fort pour se faire. Elle a aujourd'hui besoin d'un pouvoir décentralisé pour ne pas se défaire. » Le 2 mars 1982, une nouvelle loi donne davantage de pouvoir aux communes, aux départements[1], aux régions[2]. C'est la décentralisation de certaines compétences vers les collectivités locales : l'État central avait jusqu'alors dirigé, de Paris, le pays.

Mais quelle est l'opinion des Français sur la décentralisation, quinze ans après son entrée en vigueur ?

1. Département : collectivité territoriale. Il y a 96 départements en France métropolitaine et 4 départements outre-mer : la Martinique, la Guadeloupe, la Guyane, la Réunion.
2. Région : collectivité territoriale. Il y a 26 régions en France, dont 4 régions outre-mer.

RÔLE ET IMAGE DES ÉLUS LOCAUX

Depuis les lois de décentralisation, estimez-vous que le rôle de l'élu local est :

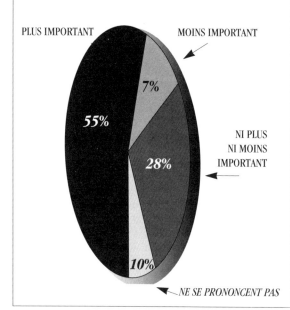

PLUS IMPORTANT
MOINS IMPORTANT
7%
55%
NI PLUS NI MOINS IMPORTANT
28%
10%
NE SE PRONONCENT PAS

Quels sont les deux responsables de la vie politique locale à qui vous faites le plus confiance ?

❶	LE MAIRE	68%
❷	LE PRÉFET [1]	26%
❸	LE DÉPUTÉ [2]	23%

Le maire et ses adjoints, pendant un conseil municipal.

1. Préfet : représentant de l'État dans le département et la région. 2. Député : élu à l'Assemblée nationale (Parlement).

3 Lisez le texte. Observez les tableaux ci-dessus puis répondez aux questions.

1. *Décentralisation* s'oppose à :   centre ❑   centralisme ❑   cent ❑

2. *Élu* appartient à la même famille que :   élève ❑   électrique ❑   élection ❑

3. *Local* s'oppose à :   national ❑   principal ❑   direct ❑

4. Pour combien de Français le rôle de l'élu local est-il plus important qu'auparavant ?

5. Qui est l'élu à qui ils font le plus confiance ?

Diriez-vous des élus locaux qu'ils sont :

	OUI	NON	SANS OPINION
SOUCIEUX DES INTÉRÊTS DE LEURS ADMINISTRÉS	65 %	29 %	6 %
INFLUENTS	64 %	28 %	8 %
COMPÉTENTS	61 %	31 %	8 %
PRÉSENTS SUR LE TERRAIN	60 %	34 %	8 %
HONNÊTES	57 %	31 %	6 %
ÉFFICACES	52 %	38 %	6 %
PROCHES DES GENS COMME VOUS	44 %	51 %	5 %

Par rapport aux agents de l'État, diriez-vous que les agents des collectivités locales sont :

50 %	PLUS COMPÉTENTS
22 %	MOINS COMPÉTENTS
17 %	AUSSI COMPÉTENTS
11 %	*ne se prononcent pas*

4 Observez les tableaux ci-dessus et répondez aux questions.

1. *Soucieux des intérêts* signifie :

qui se préoccupent (des…) ❏

qui ignorent (les…) ❏

2. *Influent* signifie :

inutile ❏

qui a du pouvoir ❏

gentil ❏

3. Quelles sont les quatre premières qualités des élus locaux ?

4. Combien de Français pensent qu'ils ont une plus grande compétence que les représentants nationaux ?

5. L'image des élus locaux est :

bonne ❏

médiocre ❏

négative ❏

6. D'après ce sondage, les Français sont-ils contents des effets de la décentralisation ? Donnez-en les raisons en une phrase.

7. Dans votre pays, le pouvoir politique est-il centralisé ou décentralisé ? Comment s'appellent les collectivités territoriales ? Pensez-vous que les élus locaux se préoccupent davantage des problèmes des gens qu'en France ?

OPINIONS

Vocabulaire et orthographe

BOÎTE
À
OUTILS

❶ Remplacez les expressions avec *passer* par des verbes du même sens.

J'ai passé un coup de fil à Antoine, hier.
➔ *J'ai téléphoné à Antoine, hier.*

1. On passe à table ?

....

2. Nous avons passé la frontière à Modane.

....

3. Véronique passe l'examen d'histoire ancienne pour la seconde fois.

....

4. Cet été, il a passé son temps à lire des romans.

....

5. J'ai vu notre boulangère, elle passait à la télé !

....

❷ Complétez par un des mots suivants : *timbre – combiné – courrier – bureau de poste – affranchie – correspondre – répondeur.*

1. Cette lettre est mal .... : il n'y a qu'un .... de deux francs !

2. S'il te plaît, tu peux regarder dans la boîte aux lettres s'il y a du .... ?

3. Le .... est ouvert de neuf heures à dix-neuf heures, sans interruption.

4. Notre professeur nous a proposé de .... avec des élèves allemands.

5. Raccroche le .... ! Il est inutile d'attendre, si personne ne répond.

6. Je rappelle Nicolas. Ce matin, il n'était pas à la maison, il y avait le ....

❸ Soulignez le bon verbe. Aidez-vous d'un dictionnaire, si nécessaire.

1. Écrire/remplir un questionnaire.
2. Chercher/effectuer une enquête.
3. Poser/faire des questions.
4. Subir/supporter un interrogatoire.

4 **Complétez avec les mots de l'exercice précédent.**

1. L'inspecteur Janvier a conduit ....

2. Arrêtez de me poser toutes ces .... C'est fatigant !

3. Demain, le suspect devra subir ....

4. Remplissez .... après avoir lu toutes les questions.

5 **Lisez et complétez par *ces* ou *ses*, selon le cas. *Ces* et *ses* se prononcent de la même façon : [se].**

Je trouve que tous .... sondages finissent par fatiguer les gens. Dans le dernier, sur la popularité du président de la République, les questions étaient incompréhensibles : .... résultats ne peuvent pas être sérieux ! Tu sais qu'André et .... parents ont été interrogés par téléphone ? Un institut de sondage leur a posé .... questions : « Avez-vous un téléphone portable ? Si oui, combien de fois l'utilisez-vous par jour ? Connaissez-vous le prix de .... communications ? », etc. André a répondu aux questions avec .... parents mais l'entretien a été rapide : ils n'ont pas de téléphone portable !

Grammaire

6 **Chassez les intrus ! Soulignez les mots qui ne sont pas des adverbes.**

Simplement – changement – correctement – équipement – vraiment – engagement – fidèlement – inconvénient – justement – logement.

7 **Complétez le tableau.**

Adverbes	Adjectifs Féminins	Adjectifs Masculins
Certainement	*certaine*	*certain*
1. Actuellement	....	....
2. Quotidiennement	....	....
3. Récemment	....	....
4. Inutilement	....	....
5. Modestement	....	....
6. Poliment	....	....
7. Abondamment	....	....
8. Sérieusement	....	....
9. Prudemment	....	....
10. Vraiment	....	....

Actuellement, monsieur, on n'agit jamais assez prudemment !

Vraiment ?

8 **Remplacez les mots soulignés par un adverbe. Aidez-vous d'un dictionnaire, si nécessaire.**

Il répond aux questions d'une façon confuse. ➜ *Il répond aux questions confusément.*

1. Ce journaliste interroge les gens avec gentillesse.

....

2. Marie-Pierre leur a expliqué d'une façon claire comment arriver chez nous.

....

3. Nous préparons notre examen avec tranquillité.

....

4. Les pilotes automobiles vivent d'une façon dangereuse.

....

5. Le témoin a répété avec exactitude le récit des faits.

....

9 **Mettez à la bonne place les adverbes entre parenthèses.**

Il a répondu aux questions (bien). ➜ *Il a bien répondu aux questions.*

1. Ils discutent avec leurs amis (beaucoup).

....

2. L'enquête a été conduite (bien).

....

3. Vous parlez (trop).

....

4. Elle a compris le problème (mal).

....

5. Nous avons pensé à vous (beaucoup).

....

10 **Répondez aux questions en utilisant : *demain – tard – toujours – ici – maintenant.***

– À quelle heure es-tu rentré(e) ? ➜ *– Je suis rentré(e) tard.*

1. – Tu ne vois plus Jérémie ?

– ....

2. – Où est mon questionnaire ?

– ....

3. – Ton rendez-vous, c'est pour aujourd'hui ?

– *Non, c'est*...

4. – Quand est-ce que tu réponds à ton correspondant ?

– ....

⑪ Transformez comme dans l'exemple.

La salle des fêtes est pleine, mais on peut encore y entrer.
➜ *Bien que la salle des fêtes soit pleine, on peut encore y entrer.*

1. Les questions sont compliquées, mais les gens peuvent faire un effort ! ....
....

2. La sécurité est totale sur les circuits. Cependant, il est impossible d'éviter des accidents.
....

3. Le touriste n'a pas donné d'indications précises. Malgré cela, on a retrouvé son appareil
photo ....

4. La journée est très belle. Pourtant, il fait frais. ....

5. Le film est passé très tard à la télé. Malgré tout, beaucoup de téléspectateurs l'ont
regardé. ....

⑫ À partir du tableau, faites cinq phrases. Choisissez les éléments qu'il vous faut.

				cependant	le public	
Bien que	je					ne pas suivre.
	vous	répondre	correctement			
	M. Morice	expliquer	clairement	mais	certains	

➜ *Bien que vous expliquiez clairement, certains ne suivent pas.*

Expression

---

45 % des touristes préfèrent la mer

Aujourd'hui, 35 millions de Français partent en vacances au moins une fois dans l'année. Les autres, soit 25 millions, restent chez eux. Un chiffre considérable ! Il ne s'agit pas seulement de gens très âgés, puisque 37 % des plus de soixante-dix ans voyagent. En fait, un quart de ces sédentaires décident volontairement, pour des raisons autres que financières, de rester à la maison. Ils veulent, par exemple, profiter de leur jardin, recevoir leurs amis ou aller au cinéma sans faire la queue.

Ceux qui prennent des vacances le font le plus souvent en été, pour des séjours d'en moyenne vingt-deux jours. Juillet et août concentrent encore les départs en vacances de quatre personnes sur cinq. Cependant de plus en plus de gens partent en hiver. Mais sur les quatorze jours de vacances que les Français prennent en hiver, seuls neuf sont consacrés au ski. Les vacances d'été à la française, c'est quitter une grande ville en prenant sa voiture (trois quarts des départs). Les Parisiens ou les Lyonnais sont deux fois plus nombreux à partir que les habitants de la campagne.

Seuls 15 % des Français partent en vacances à l'étranger. Les deux tiers des séjours ont lieu en Europe de l'Ouest, à 40 % dans un cadre familial. Pour beaucoup, c'est le moment de retrouver la grand-mère italienne ou les cousins portugais ! Le cœur des Français les porte toujours vers l'Espagne. Suivent l'Afrique du Nord, le Portugal, l'Italie.

⓭ Répondez aux questions.

1. Le journaliste a écrit l'article :

pour expliquer les résultats d'un sondage ❑

pour donner des conseils aux français sur les vacances ❑

pour raconter ses vacances ❑

2. Quel est le nombre de Français :

qui partent en vacances ? ....

qui ne partent pas en vacances ? ....

qui ont décidé de ne pas partir en vacances ? ....

3. Quelles sont les périodes de l'année où les Français partent en vacances ?

....

4. Quel est le nombre de Français qui partent à l'étranger ?

....

5. Quels sont les pays que des Français visitent le plus ?

....

6. Que dit l'auteur pour expliquer le choix de certains Français de ne pas partir en vacances.

....

....

⓮ Écrivez un petit texte en mettant dans l'ordre les éléments ci-dessous.

– quinze jours suffisent pour récupérer la fatigue de l'année.
– Pourquoi ne pas prendre une partie de ses vacances en hiver ?
– Sur les vingt-deux jours de vacances annuelles que les Français prennent,
– En fait, c'est en hiver que notre organisme est le plus fragile.
– Mais il risque alors de nous manquer le principal : le soleil.
– Nous aurions donc intérêt à prendre plus de vacances pendant l'hiver ou l'automne.

DELF **⓯ Lisez ci-dessous les réponses des Français à un sondage sur les vacances. On leur a demandé ce qui était important pour que les vacances soient réussies.**

– Avoir du beau temps   81 %
– Ne pas avoir d'horaires   37 %
– Passer du temps en famille   30 %
– Visiter des musées, des expositions 19 %
– Faire du sport   15 %
– Bien manger, bien boire   14 %
– Dormir   11 %
– Lire   7 %
– Tomber amoureux   9 %

1. D'après vous, qu'est-ce qui est le plus important pour les catégories de Français ci-dessous ? Répondez comme dans l'exemple et justifiez votre réponse.

a. Pour la majorité des Français

➜ *Avoir du beau temps parce que la majorité des gens qui partent en vacances vont au bord de la mer.*

b. Pour les plus jeunes

....

c. Pour ceux qui ont des horaires fixes dans le travail

....

d. Pour les retraités

....

e. Pour ceux qui ont entre 35 et 45 ans

....

2. Pour réussir les vacances, qu'est-ce qui est le plus important pour vous ? Expliquez-le en deux phrases.

⓰ Complétez cette lettre avec les éléments suivants :

également – de plus – à l'intention – veuillez agréer – c'est pourquoi – et – donc – quand – du tout – dans l'attente.

François Gazelle   .... de Monsieur le directeur
25, rue Jean Moulin   Hôtel Beaurivage
69000 Lyon   17000 La Rochelle
                                                          le 2 août 1997

Monsieur le directeur,

J'avais réservé une chambre avec vue sur la mer dans votre hôtel pour la période du

26 juillet au 10 août .... j'avais confirmé la réservation par lettre. J'avais

.... versé les 600 F d'arrhes que vous demandiez.

.... nous sommes arrivés, on nous a proposé de loger dans l'annexe de l'hôtel

qui donne sur un boulevard très passager. .... , la chambre ne correspondait

pas .... à la description faite dans votre brochure. .... nous avons quitté

immédiatement votre établissement.

Je vous demande .... de me restituer les arrhes versées.

.... de votre réponse, ... Monsieur le directeur, l'expression de ma

considération distinguée.

                                                          F. Gazelle.

Conversations

OPINIONS

❶ Une entreprise spécialisée dans les aliments précuisinés a commandé un sondage. Voici les questions posées.

LE JOURNALISTE : *Consommez-vous des plats précuisinés ? Si oui, en consommez-vous toujours, souvent, ou rarement ?*

1re PERSONNE : J'en consomme souvent. Je les trouve assez bons.

2e PERSONNE : Je ne mange jamais d'aliments industriels ! J'aime le naturel, moi !

3e PERSONNE : Bien que je n'aime pas particulièrement les aliments précuisinés, je suis obligé d'en manger. Je vous l'ai déjà dit : j'ai horreur de faire la cuisine !

1. Soulignez les raisons qui justifient chaque réponse.

2. Répondez à votre tour à ces questions.

– ....

– ....

DELF **❷** Dans un quartier parisien, l'association Les Amis des animaux a proposé à la mairie de réserver un des deux jardins du quartier aux chiens. Les personnes ayant des enfants ne sont pas d'accord… Une réunion a eu lieu à la mairie.

Participants : le maire, le représentant de l'association, le représentant des parents d'élèves de l'école.

Le maire ne veut pas choisir entre propriétaires de chiens et parents d'élèves. Il présente le problème.

1. Faites la liste des arguments avancés par les deux parties.

Amis des animaux :

– Il n'y a pas de place pour les animaux dans le quartier.

– Le danger des voitures est grand.

– La propreté des rues ne peut pas être garantie actuellement.

Parents d'élèves : – ....

– ....

2. Imaginez la discussion.

– LE MAIRE : J'ai reçu une proposition de l'association… Pour cette raison, j'ai organisé cette réunion avec les personnes qui sont plus directement intéressées par la gestions des espaces verts.

– ....

DELF **❸** Le Centre culturel français d'une grande ville asiatique veut organiser un voyage d'une semaine en France pour les personnes qui suivent les cours. Ses propositions sont :

1. Visite des principales villes de France.

2. Trois jours en Bretagne et trois jours sur la Côte d'Azur.

Le responsable du voyage organise un sondage pour connaître les préférences des inté-ressés.

Imaginez les questions qu'il va poser et les réponses des trois étudiants des cours.

– *Notre centre voudrait organiser un voyage… Est-ce que vous avez des préférences… ?*

EN FRANCE

Vocabulaire et orthographe

BOÎTE
À
OUTILS

❶ Voici une liste de mots qui font penser aux bagages des voyageurs.

1. Classez ces bagages du plus petit au plus grand. Utilisez un dictionnaire, si nécessaire.

La valise – la mallette – la malle – la pochette.

....

2. Trouvez d'autres objets que l'on « perd » souvent.

Les papiers, ...

3. Dans quels lieux les perd-on plus facilement ?

Dans le bus, ...

❷ Complétez ces phrases à l'aide des noms dérivés du verbe souligné.

Le directeur général <u>a rencontré</u> cet après-midi les représentants des salariés. Cette … a été suivie d'une déclaration commune.
➜ *Cette rencontre a été suivie d'une déclaration commune.*

1. De nombreuses écoles <u>ont fermé</u> ces dernières années. Leur .... est essentiellement due à la baisse des naissances.

2. Le chanteur <u>a confirmé</u> à son arrivée à l'aéroport qu'il préparait un nouveau disque. Cette .... a été donnée devant de nombreux journalistes.

3. La chorale de notre entreprise <u>a décidé</u> de participer à la Fête de la Musique. Cette .... était attendue par le personnel.

4. Le maire <u>a déclaré</u> qu'une autre rue piétonne sera ouverte à partir de janvier prochain. Cette .... confirme la volonté de lutter contre la pollution.

❸ Du nom au verbe. Complétez la liste.

La négociation ➜ *négocier*

1. L'entraînement ➜ (s')........................

2. La création ➜ ....

3. La célébration ➜ ....

4. L'interprétation ➜ ....

5. La participation ➜ ....

4 **Lisez et complétez les mots par la bonne graphie du son [o] comme dans au̲to.**

1. Ce tabl............ est magnifique !

2. ....jourd'hui, les régions ont plus de pouvoir qu'avant.

3. De n............s jours, l'............ non polluée devient rare.

4. Ce rest............rant ouvre t............t : à onze heures.

5. Les langues régi...nales sont de nouv............ enseignées en France depuis quelques années.

6. Sur le canal du Midi, il y a b............coup de bat............x de vacanciers.

Grammaire

5 **1. Repérez les phrases :**
– à construction passive complète (CPC)
– à construction passive incomplète (CPI)

Les monuments sont admirés par les touristes. ➜ *CPC.*

a. Le questionnaire a été rempli avec précision. ....

b. L'enseignement technique sera développé dans les années qui viennent. ....

c. La décision avait été prise pendant la nuit par les responsables du projet. ....

d. La construction d'une nouvelle usine a été arrêtée. ....

e. Les opinions des interviewés sont étudiées par des spécialistes. ....

2. Transformez les phrases précédentes : de la forme passive à la forme active quand cela est possible. Sinon, utilisez la structure *on + verbe à sens passif.*

Les monuments sont admirés par les touristes. ➜ *Les touristes admirent les monuments.*

a. ....

b. ....

c. ....

d. ....

e. ....

6 **1. Transformez les phrases, quand cela est possible, à l'aide de la structure *on + verbe à sens passif.***

Les responsables sont recherchés activement.
➜ *On recherche activement les responsables.*
La production a été programmée par la nouvelle équipe de l'entreprise.
➜ *La construction : on + verbe… n'est pas possible.*

a. Ces machines sont envoyées à l'étranger par le train.

....

b. Le déménagement des bureaux a été bien organisé.

....

c. Les difficultés de la jeunesse sont étudiées par une commission. ....

....

d. L'annonce avait été faite tard dans la soirée par le porte-parole de la commission. ....

....

2. Qu'est-ce qui empêche la transformation (*on + verbe à sens passif*) de certaines phrases ci-dessus ?

a. le sens du verbe ❑

b. la présence du complément introduit par *par* ❑

c. la présence d'un autre complément ❑

7 **Lisez ces deux faits divers et complétez-les avec les verbes proposés.**

1. *Voir – casser – ne pas rattraper – retrouver – ouvrir.*

La vitrine du magasin FNAC musique ...., lundi soir, par des inconnus. Ceux-ci avaient été........... par des passants, mais les voleurs .... Une enquête .... La nouvelle qu'une voiture volée .... non loin du magasin vient d'être confirmée.

2. *Évaluer – transporter – prévoir – bloquer.*

De très fortes pluies se sont abattues la nuit dernière sur le Nord. Les routes .... et des villages sont entièrement isolés. Les habitants .... dans les écoles des communes les plus proches. Les dommages .... à plusieurs millions de francs. Une réunion .... pour organiser le retour à la vie normale de la population.

8 **Écrivez le pronom possessif correspondant.**

Mes affaires ➜ *les miennes*

1. Ton café ➜ ....

2. Vos échantillons ➜ ....

3. Leurs histoires ➜ ....

4. Votre bonheur ➜ ....

5. Notre centre ➜ ....

6. Son but ➜ ....

7. Nos plans ➜ ....

8. Tes raisons ➜ ....

9. Ma signature ➜ ....

Je vous présente mon fils !

Et moi... heu... le mien...

9 **Remplacez les mots soulignés par les mots proposés et adaptez la réponse.**

– *C'est ta moto ? (vélo)*
– *Mais non, la mienne est noire !*
➜ – *C'est ton vélo ?*
– *Mais non, le mien est noir !*

1. – Ces livres sont à Françoise ? (lunettes) ....

– Non, ce ne sont pas les siens ! ....

91

2. – Regarde, c'est <u>la mallette</u> du directeur ! (le portefeuille) ....

– Tu te trompes, c'est la mienne : je viens de l'acheter ! ....

3. – Madame, <u>ce sac</u> est à votre amie ? (valise) ....

– Non, il n'est pas à elle. Le sien est blanc ! ....

4. – Ce sont <u>les petites voitures</u> des enfants ? (disques) ....

– Oui, bien sûr, ce sont les leurs. ....

❿ Complétez à l'aide du pronom possessif. Aidez-vous des propositions entre parenthèses.

Mon opinion est claire, tu le sais, mais .... ne l'est pas. (elle)

➜ *Mon opinion est claire, tu le sais, mais la sienne ne l'est pas.*

1. Ses propositions étaient intéressantes, on attend ...., cher ami ! (vous)

2. J'ai perdu mon carnet d'adresses. Je peux regarder .... ? (tu)

3. Tu peux me prêter ton stylo ? J'ai oublié .... (je)

4. Mes valises sont là, mais où sont .... ? (vous)

5. Nous avons échangé nos cassettes contre .... (ils)

⓫ Lisez et complétez à l'aide des adjectifs et des pronoms possessifs qui conviennent.

Mᴍᴇ Fʀᴇᴅᴇᴛ : Bonjour Madame Manthoy, vous allez bien ? Et les enfants ?

Mᴍᴇ Mᴀɴᴛʜᴏʏ : Je vais bien merci, mes enfants aussi, et .... ?

Mᴍᴇ Fʀᴇᴅᴇᴛ : Claude est en Hollande pour un stage, Vincent fait .... service militaire. .... mari et moi, on se sent un peu seuls, en ce moment !

Mᴍᴇ Mᴀɴᴛʜᴏʏ : Pour nous, c'est pareil. Heureusement, on a un travail agréable : celui de mon mari l'occupe beaucoup, le .... me prend une bonne partie de la journée.

Mᴍᴇ Fʀᴇᴅᴇᴛ : Bien, au revoir Madame Manthoy. Et toutes mes amitiés à .... mari.

Mᴍᴇ Mᴀɴᴛʜᴏʏ : De même au .... Au revoir !

Expression

JOUR DE MARCHÉ À CARPENTRAS

———

Carpentras a l'un des plus beaux marchés provençaux[1]. Il est vrai qu'on est ici dans un lieu historique. Étalé[2] dans les rues de la vieille ville, il envahit[3], dès 7 heures le vendredi matin, le cœur de la cité. Aux trois cent cinquante commerçants forains[4] qui tournent dans la région, s'ajoutent les commerçants sédentaires[5] qui, ce jour-là, s'installent dans la rue.

La rue appartient aux piétons. Une foule dense se presse entre les étals[6]. Victuailles[7] en quantité, odeurs mêlées, couleurs vives, bruits de foules : Carpentras offre une image de joyeux désordre, de spontanéité. En réalité, le marché fait l'objet d'une politique municipale raisonnée : on contrôle l'espace et on compose le décor. On s'efforce de regrouper les produits, comme dans l'ancien temps. On met les fruits et légumes aux Platanes[8], non loin des fleurs, la quincaillerie[9] rue de la République, les tissus place du Palais, les chaussures et les vêtements place du Théâtre. Les vendeurs de charcuterie et de fromages sont rassemblés place de la Mairie et les poissonniers porte d'Orange.

●●● / ●●●

••• / ••• Pour faire un bon marché, on répartit astucieusement[10] les vendeurs de produits locaux, les musiciens et les chanteurs de rue qui créent l'ambiance. Ainsi, grâce à la présentation des produits et au talent des commerçants, on peut penser que les vendeurs vous offrent les produits de leur jardin comme au siècle dernier. Tous essaient de donner au marché un air d'autrefois : la municipalité, les commerçants et même les clients. Quand on parcourt les rues en bavardant et en passant d'un étal à l'autre, on retrouve pendant quelques heures le mode de vie provençal. Tant pis[11] si c'est une illusion. ∎

1. Provençal, e (provençaux), (adj). : de la Provence (une région du Sud de la France). 2. Étalé : installé, éparpillé. 3. Envahir un lieu : remplir complètement un lieu. 4. Un commerçant forain : commerçant qui vend sur les marchés, un jour dans une ville, le lendemain dans une autre ville. 5. Un commerçant sédentaire : commerçant qui a un magasin. 6. Un étal : grande table sur laquelle le commerçant pose ce qu'il vend dans un marché. 7. Les victuailles (f. pl.) : ce qu'on mange. 8. Aux Platanes : dans le texte, c'est le nom d'un lieu. Un platane est aussi un arbre. 9. La quincaillerie : objets de métal, outils, appareils pour le ménage. 10. Astucieusement : intelligemment. 11. Tant pis : ce n'est pas important.

⓬ **Lisez cet extrait de magazine et cochez la bonne réponse.**

Le texte : raconte un événement qui s'est passé sur le marché ☐
donne des informations et des explications sur le marché de Carpentras ☐
invite les gens à acheter les produits du marché ☐

⓭ **Relisez le texte et regardez les définitions des mots qui sont données. Trouvez dans le texte les mots qui désignent :**

1. les sites du marché : ....

2. les produits vendus sur le marché : ....

3. les personnes qui sont sur le marché : ....

⓮ **Indiquez les paragraphes où vous trouvez les réponses correspondant à ces questions.**

1. Où se trouve un des plus beaux marchés provençaux ? ....

2. Qu'est-ce qu'on peut voir sur le marché ? ....

3. Comment le marché est-il organisé ? ....

DELF ⓯ **Décrivez un marché (une foire) qui a lieu dans votre ville, dans votre région. Si vous le savez, dites quand le marché (la foire) a été créé, décrivez le marché (la foire) : le site, la foule, les produits, les commerçants. Dites aussi comment le marché est organisé.**

 *Conversations*

❶ Terminez ce dialogue en classant les répliques ci-dessous.

a. – Tu es sûre que les clés ne sont pas dans ta mallette ?

b. – Où est-elle, maintenant ?

c. – J'avais une mallette.

d. – Je l'ai laissée au bureau, je n'en avais pas besoin.

e. – Peut-être… J'espère !

Le soir, vers 18 heures, dans la rue.

– YVES : Ah, non, je ne trouve plus mes clés !

– ANNE : Reste calme ! Voyons un peu. Où mets-tu tes clés d'habitude ?

– YVES : Dans mon sac et, tu vois bien, Anne, elles n'y sont pas !

– ANNE : Qu'est-ce que tu avais d'autre ce matin, à part ton sac ?

– ....

– ....

DELF ❷ Complétez la conversation.

Monsieur Florent a été invité chez Monsieur et Madame Vidal. En rentrant chez lui, Monsieur Florent s'aperçoit qu'il n'a plus ses lunettes. Le lendemain, il téléphone chez les Vidal.

M. FLORENT : Bonjour, Monsieur Vidal, je m'excuse de vous déranger, mais *[il dit la raison de l'appel]* ....

M. VIDAL : Je suis désolé, on n'a pas trouvé de lunettes. *[Il demande comment sont les lunettes.]* ....

M. FLORENT : *[Il décrit ses lunettes.]*

....

M. VIDAL : *[Il demande si M. Florent a utilisé ses lunettes chez eux.]*

....

M. FLORENT : *[Il s'est servi de ses lunettes pour passer un coup de fil.]*

....

M. VIDAL : Je vais chercher, attendez… les voilà, dans le tiroir. Ma femme a certainement cru que c'étaient les miennes : elles sont exactement pareilles !

DELF ❸ Dans une salle de cinéma, on a retrouvé un portefeuille, avec un petit carnet d'adresses au nom d'Éléonore Châtelain, mais ni papiers ni argent. L'employé du cinéma téléphone à Éléonore Châtelain et lui pose des questions pour être sûr que le portefeuille est bien à elle.

Imaginez la conversation téléphonique en suivant les suggestions ci-dessous.

Il lui demande : – si elle est allée au cinéma le soir précédent et à quelle séance ;

– si elle a perdu quelque chose et quoi en particulier ;

– quelle était la forme et la couleur du portefeuille ;

– ce qu'il y avait dedans.

AVANT LE DÉPART...

COMMENT BIEN FAIRE SA VALISE

Bouclez-la !

Avant de partir, les valises sont toujours trop petites. Faire ses bagages n'est pourtant pas si compliqué.

Il y a quelques règles à suivre pour bien utiliser l'espace, éviter les affaires froissées et les oublis de dernière minute.

Un oubli malheureux et les vacances peuvent être gâchées.

La liste de base :
– Les vêtements.
Règle numéro 1 : n'oubliez pas de dresser une liste des choses indispensables à l'avance, en fonction du genre de voyage entrepris et des conditions climatiques du lieu de séjour.
Pas de gros pulls pour les adeptes de la Sicile, mais il serait regrettable de faire l'impasse sur le ciré en Bretagne, même au mois de juillet.
– Les affaires de toilettes.
Il est conseillé d'emporter des modèles réduits pour chaque article : shampooing, gel, dentifrice, crème à raser…
Les échantillons publicitaires de certains produits sont parfaitement adaptés.

Voici en détail le mode d'emploi pour remplir sa valise..

PLIER, C'EST GAGNER :

• Première couche :

Au fond de la valise et au milieu, …
S'il reste encore de la place, …

• Deuxième couche :

Placez au-dessus…
Dans les espaces libres, …

• Troisième couche :

Votre valise est plus qu'à moitié pleine.
Reste à mettre…
Casez d'abord…
Et sur le dessus, …

Le titre d'un article de magazine a retenu votre attention.
Lisez l'introduction et répondez aux questions suivantes :

▶ **1. À qui cet article s'adresse-t-il ?**

....

▶ **2. Qu'est-ce qu'on va trouver dans cet article ?**

....

....

▶ **3. Qu'est-ce qu'on note sur la liste avant de faire sa valise ?**

....

....

▶ **4. Comment choisit-on ce qu'on doit prendre pour les vacances ?**

....

....

▶ **5. Qu'est-ce qui est important ?**

– le nombre (combien) d'objets ?
....

– la taille (longueur, largeur, hauteur) des objets ?
....

– le poids (lourds ou légers) des objets ?
....

▶ **6. Avec ce que vous savez, dites comment vous feriez votre valise. Complétez les blancs :**

Pour commencer ....

....

Pour continuer ....

....

Pour finir ....

....

▶ 7. **Maintenant, lisez l'article ci-dessous en entier. Allez jusqu'au bout, sans vous arrêter, même si vous ne comprenez pas certains mots. Comparez ensuite vos réponses avec les solutions proposées dans le magazine.**

COMMENT BIEN FAIRE SA VALISE
Bouclez-la !

Avant de partir, les valises sont toujours trop petites. Faire ses bagages n'est pourtant pas si compliqué. Il y a quelques règles à suivre pour bien utiliser l'espace, éviter les affaires froissées et les oublis de dernière minute.

Un oubli malheureux et les vacances peuvent être gâchées.

La liste de base :
– Les vêtements.
Règle numéro 1 : n'oubliez pas de dresser une liste des choses indispensables à l'avance, en fonction du genre de voyage entrepris et des conditions climatiques du lieu de séjour. Pas de gros pulls pour les adeptes de la Sicile, mais il serait regrettable de faire l'impasse sur le ciré en Bretagne, même au mois de juillet.
– Les affaires de toilettes.
Il est conseillé d'emporter des modèles réduits pour chaque article : shampooing, gel, dentifrice, crème à raser…
Les échantillons publicitaires de certains produits sont parfaitement adaptés.

Voici en détail le mode d'emploi pour remplir sa valise.
PLIER, C'EST GAGNER :

• Première couche :
Au fond de la valise et au milieu, mettez les sous-vêtements et le pyjama. S'il reste encore de la place, occupez-la avec des accessoires : mouchoirs, ceintures, foulards, cravates… Calez sur les côtés les chaussures et la trousse de toilette. Pour évitez que les semelles ne salissent vos vêtements, mettez mocassins, escarpins et baskets dans des sacs en toile ou en plastique. Profitez-en pour loger les chaussettes (ou les bas) à l'intérieur du sac ou dans les chaussures.

• Deuxième couche :
Placez au-dessus des sous-vêtements les pantalons pliés en deux. Puis c'est le tour des chemises et chemisettes. Il est possible de les mettre dans des sacs en plastique individuels : on crée ainsi un coussin d'air qui empêche qu'elles ne se froissent trop. Dans les espaces libres, rangez quelques petits objets fragiles ou susceptibles de s'imbriquer facilement : réveil, séchoir à cheveux, chaussons de voyage, sac de secours pour les imprévus et les cadeaux…

• Troisième couche :
Votre valise est plus qu'à moitié pleine. Reste à mettre la dernière couche, la plus moelleuse. Casez d'abord les pull-overs ou les affaires chaudes. Et sur le dessus, placez les vestes à l'envers, coutures visibles et manches pliées dans le sens de la longueur. Dans les poches situées sur les côtés de la valise ou le couvercle, vous pouvez ranger les photocopies – jamais les originaux – de vos papiers d'identité (cela facilitera les démarches en cas de perte), ainsi qu'un sac à linge sale.

Xavier Lecouturier, « Bouclez-la », *Nouveau Quo* n° 9, juillet 1997.

RÉCITS DE VOYAGES

Vocabulaire et orthographe

BOÎTE À OUTILS

❶ À partir de ces verbes, trouvez un nom dérivé en *-age*, en *-tion*.

Administrer ➜ *l'administration (f.)*

1. Chômer ➜ ....

2. (S') associer ➜ ....

3. Éclairer ➜ ....

4. Exécuter ➜ ....

5. Partager ➜ ....

❷ Retrouvez le verbe à partir du nom.

Interprétation ➜ *interpréter*

1. Le passage ➜ ....

2. La participation ➜ ....

3. La décision ➜ ....

4. Le garage ➜ ....

5. Le mariage ➜ ....

6. L'invitation ➜ ....

❸ 1. Lisez ces deux listes de verbes. Dans la colonne de droite, soulignez le préfixe qui donne au verbe un sens contraire.

a. Explorer   Réexplorer
b. Commander   Décommander
c. (S') intéresser   (Se) désintéresser
d. Monter   Démonter
e. Obéir   Désobéir
f. Chuter   Rechuter

2. Trouvez les mots dérivés de ces mêmes verbes, quand c'est possible. Aidez-vous d'un dictionnaire, si nécessaire.

a. *L'exploration* ➜ *la réexploration (f.)*
b. *La commande (f.)* ➜ la transformation est impossible.

c. .... ➜ ....

d. .... ➜ ....

e. .... ➜ ....

f. .... ➜ ....

❹ 1. Soulignez les expressions de lieu.

Ils se sont retrouvés <u>sur une petite place</u>, entre midi et treize heures.

a. Ils avançaient avec prudence au milieu de la forêt.
b. Nous avons marché le long de la rivière du matin jusqu'au soir.
c. Vers midi, nous rejoignons notre groupe devant la mairie.
d. Ils sont partis pour le Sud, depuis un mois.
e. De Mâcon jusqu'à Genève, nous n'avons pas rencontré de camions.
f. Ils sont passés par les petites routes nationales.
g. Je suis allé en Roumanie, au milieu de l'été.
h. Le parking se trouvait entre la plage et la route.

2. Dans les phrases ci-dessus, relevez les prépositions qui peuvent servir à se repérer dans l'espace et dans le temps.

....

....

❺ Complétez le tableau en repérant les sons [j] comme dans ma<u>ill</u>ot, [ʃ] comme dans <u>ch</u>amp et [ʒ] comme dans <u>j</u>eux et <u>g</u>ens.

Tu as un sac de <u>couch</u>age à me prêter ?
1. Notre dernier voyage a été long et fatigant.
2. C'est l'automne ! Les feuilles tombent.
3. Le soleil se couche : il commence à faire frais !
4. Mon frère est très engagé en politique.
5. Tu as lu le journal, aujourd'hui ?

le son [j]	le son [ʃ]	le son [ʒ]
....	*couch<u>ch</u>age*	*couch<u>g</u>age*
....	....	....
....	....	....

Grammaire

❻ 1. Soulignez les formes verbales au plus-que-parfait.

Franck et Jérôme nous ont raconté qu'ils étaient entrés dans la maison qui, comme d'habitude, n'était pas fermée à clé. Ils avaient appelé pour voir si quelqu'un était là. Mais personne n'avait répondu. Alors, ils avaient crié plus fort les noms de leurs amis et ils étaient sortis dans le jardin. À ce moment-là, ils avaient vu un petit groupe de personnes s'avancer vers eux : c'étaient leurs amis qui revenaient d'une fête.

2. Quel verbe a déclenché l'utilisation du plus-que-parfait ? À quelle forme est-il ?

....

....

❼ Conjuguez les verbes entre parenthèses au plus-que-parfait.

Nous avons téléphoné, mais tout le monde (partir) déjà.
➜ *Nous avons téléphoné, mais tout le monde était déjà parti.*

1. Quand il a envoyé son dossier, la commission (se réunir) déjà.

....

2. Avant notre départ, nous (préparer) le voyage dans tous ses détails.

....

3. Elles sont arrivées à la soirée quand tous les invités (rentrer) chez eux.

....

4. Ils ont dit qu'ils (rencontrer) des ours sur la route.

....

5. Il a travaillé chez Chanel, auparavant il (travailler) chez Dior.

....

❽ Transposez au passé comme dans l'exemple.

Si je lui écrivais, il se sentirait moins seul.
➜ *Si je lui avais écrit, il se serait senti moins seul.*

1. S'ils venaient nous voir, ils pourraient nous montrer leurs photos de vacances.

....

2. Si on prenait la voiture, on éviterait d'avoir des réservations à faire.

....

3. Si tu étais d'accord, nous pourrions aller en Islande.

....

4. Si vous vous expliquiez, je pourrais vous aider.

....

5. Si tu l'invitais, il n'accepterait pas.

....

❾ Complétez ces répliques par les verbes suivants au plus-que-parfait :
prévenir – penser – laisser – dire.

– Tu n'as pas fermé les fenêtres de la maison ?

   Pourtant, je t'............ qu'il allait pleuvoir !

– J'y ...., mais après j'ai oublié !

– Tu as pris les clés de la voiture ?

   Je t' .... un message sur la table !

– Non, elles sont restées à la maison.

– Tu as appelé ta mère avant de sortir ?

– Non.

– Mais je te l'............ ! À quoi penses-tu ?

❿ Complétez comme dans l'exemple.

Cet artiste n'est pas aussi célèbre (on – pouvoir le penser).
➜ *Cet artiste n'est pas aussi célèbre qu'on peut (le) penser.*

1. Il ne voyage pas autant que (tu – l'imaginer).

....

2. Son père a gagné moins (il – le dire).

....

3. Ses déclarations sont plus importantes (nous – pouvoir le croire).

....

4. Sur l'autoroute, il n'y pas autant de policiers (vous – l'imaginer).

....

5. Les prix augmenteront plus (on – le penser).

....

⓫ Deux amis assistent à un concert, mais ils ne sont pas du même avis. Exprimez le désaccord du second, à l'aide d'une subordonnée de comparaison.

Premier ami : Le billet de ce concert est très cher !
Second ami : Il n'est pas aussi cher que tu le dis !

1. Premier ami : Cette musique est belle !

Second ami : Elle n'est pas aussi ....

2. Premier ami : Le chef d'orchestre est exceptionnel !

Second ami : ....

3. Premier ami : Ce concert a eu un grand succès à New York !

Second ami : ....

 Expression

Leur tour du monde s'est arrêté dans la Creuse, il y a treize ans

Pierre et moi avons fait la même école de commerce. Une fois diplômés, on voulait voyager et commencer par un tour du monde à la voile. On a effectué un essai sur le tour de Bretagne. Dégoûtés par le froid et le mal de mer, nous avons vite revendu notre bateau et cherché une maison, quelque part à la campagne, pour y vivre entre deux voyages.

On a trouvé dans la Creuse une maison qui correspondait à nos prix. À l'écart, mais pas isolée, en pleine nature. Nous pensions passer trois mois à la retaper avant de partir pour l'Amérique du Sud. Cet été-là, il a fait très chaud. Des copains étaient venus nous aider, ils dormaient dehors. On a commencé par le toit, puis une première pièce. Le chantier prenait plus de temps que nous ne l'avions imaginé. Octobre est arrivé, nous étions toujours là. Les copains sont repartis. Nous avions encore des économies. Tout s'est enchaîné très simplement. On a commencé à refaire la cuisine. Quand Gaëlle, ma première fille, est arrivée, nous n'étions pas encore complètement installés, mais je commençais à me sentir chez moi, dans ma maison.

Huit jours après la naissance de notre fille, début janvier, Pierre a trouvé un travail. Ou plutôt deux. Un poste à mi-temps comme animateur de développement touristique ; l'après-midi il faisait des enquêtes. Nous n'avons jamais envisagé de partir d'ici. Nous avons continué les travaux très lentement.

Maintenant, nous avons quatre filles et 200 m^2 habitables. Nous ne partons que huit jours par an, hors saison, pour aller voir des amis. Pierre est devenu consultant indépendant. Il s'est installé un bureau au fond de la grange transformée en salon. Il dit qu'il n'avait jamais imaginé vivre à la campagne, mais que, entre le téléphone et son ordinateur, il a la même vie que dans son ancienne banlieue parisienne résidentielle.

⓬ Lisez le texte et cochez la bonne réponse.

Qui a écrit ce texte ?

Pierre ❑   Gaëlle ❑   la femme de Pierre ❑

⓭ Résumez le texte en trois phrases :

1. Situation initiale :

....

....

2. Développement de l'action :

....

....

3. Situation finale :

....

....

⓮ 1. Quelles sont les deux formes verbales les plus utilisées dans le deuxième paragraphe ?

....

2. Quelle est la forme verbale utilisée quand l'auteur :

a. veut mettre en relief des événements ? ....

b. donne des éléments de description ? ....

⑮ Mettez les verbes entre parenthèses à la forme qui convient.

Une fois nous (retourner) .... habiter en ville pendant six mois. Nous (avoir) ....
un grand appartement. Et pourtant, au printemps, nous (revenir) .... chez nous sans
finir l'année scolaire. Je (ne pas pouvoir) .... supporter l'idée de ne pas voir les premières fleurs s'ouvrir dans le jardin.

⑯ Écrivez un petit texte en mettant dans l'ordre les éléments suivants.

– Mais deux ans après, ils sont retournés vivre à Paris. – Jacques et Annie ont décidé un
jour d'aller s'installer à la campagne. – La raison ? – Ils voulaient vivre dans une grande
maison en pleine nature. – Ils ne voyaient plus leurs amis et la ville leur manquait.

....

....

....

....

....

....

....

....

DELF ⑰ À partir des éléments suivants, écrivez un texte pour raconter l'histoire d'une jeune femme. Vous pouvez suivre le plan ci-dessous, supprimer, modifier ou ajouter des éléments.

Situation initiale :
– Une jeune femme vient de terminer ses études. – Elle a un peu d'argent. – Elle décide de
faire le tour de la France à vélo. – Elle arrive en Bretagne.

Développement de l'action :
– Dans le port de Saint-Malo, elle rencontre des gens. – Elle trouve du travail dans une crê-
perie comme serveuse. – Elle rencontre un garçon.

Situation finale :
– Elle vit à Saint-Malo depuis cinq ans. – Elle est mariée avec un breton. – Elle a ouvert un
restaurant de spécialités bretonnes.

Conversations

❶ Un navigateur, qui a fait le tour du monde à la voile, est interrogé par un journaliste. Complétez les répliques à l'aide des suggestions.

LE JOURNALISTE : Aviez-vous ce projet de voyage en tête depuis longtemps ?
LE NAVIGATEUR : *[Depuis l'enfance, aimer la mer – avoir premier bateau, âge de huit ans.]*

....

....

LE JOURNALISTE : La solitude a été dure, pendant ces huit mois ?
LE NAVIGATEUR : *[Ne pas être aussi dure… – s'entraîner pendant trois ans, avant le départ.]*

....

Et en plus on a tellement de choses à faire sur un bateau qu'on n'a pas le temps de se sentir seul !
LE JOURNALISTE : Votre femme était-elle d'accord pour ce tour du monde ?
LE NAVIGATEUR : *[Avant de prendre une décision, en discuter longuement.]*

....

Finalement, elle aussi a été d'accord.
LE JOURNALISTE : Avez-vous rêvé de quelque chose en particulier ?
LE NAVIGATEUR : *[Rêver de salade et de fruits frais !]*

....

DELF **❷ Continuez le récit ci-dessous à partir des suggestions.**

SUGGESTIONS : – Train.
  – Durée du voyage en train : 4 jours.
  – Peu de choses à manger, faim.
  – Expérience d'une langue inconnue.
  – Avant de retrouver son père, petits travaux pour pouvoir manger.
  – Finalement, rencontre avec son père.
  – Début de sa vie d'« adulte ».

Vous savez, mon histoire est très longue, c'est que je viens de loin…
Il y a longtemps, mon père, Jean, est parti à pied de son village, situé au nord de l'Italie. Arrivé en France, il a trouvé du travail près de Lyon, dans une usine. Un jour, il m'a demandé de le rejoindre, alors, j'ai tout laissé, ma mère, mes frères et mes amis et je suis parti. Mon père, son voyage, il l'avait fait à pied, mais moi, j'ai pu............. Mon voyage en train a duré .... J'avais souvent faim ....

DELF **❸ Vous rencontrez Mme Turonnet. Imaginez votre conversation.**

Mme Turonnet est musicienne. Elle vient de rentrer d'un long séjour sur une petite île de pêcheurs en Méditerranée. Sans téléphone ni poste de télévision, elle a partagé la dure vie des habitants de l'île : debout au lever du soleil, achat de la nourriture (le poisson chez les pêcheurs, les légumes chez les voisins), transport de l'eau, deux fois par semaine, du bateau-citerne à la maison. Cette expérience a été extraordinaire et elle la recommencerait volontiers.
– Mme Turonnet, vous êtes musicienne de profession, n'est-ce pas ?

AUTOBIOGRAPHIE

Vocabulaire et orthographe

❶ **Lisez ces phrases et complétez-les à l'aide des verbes suivants à la forme qui convient :** *(s')aggraver – rapprocher – pâlir – grandir – maigrir – oublier.*

1. La musique .... les gens. Tu ne trouves pas ?

2. Quand il peignait, il .... tous ses problèmes.

3. Est-ce que Frédérique suit un régime ? Parce qu'elle a beaucoup ....

4. Sa maladie s'est ...., ces derniers temps.

5. Quand il a vu l'addition, il a ....

6. Corinne .... beaucoup en ce moment : tous ses vêtements sont trop courts !

❷ **Choisissez parmi les adjectifs ci-dessous, ceux qui conviennent pour décrire les personnages.**
Faible – tenace – brillant – modeste – volontaire – obstiné – réservé.

1. François a toujours aimé les études et le travail. Quand il n'atteint pas les résultats espérés, il redouble d'efforts. C'est vraiment quelqu'un de ....

2. Ghislaine est une femme à l'air timide. Elle n'aime pas parler d'elle, elle contrôle ses émotions : elle est très ....

3. Sacha est un garçon qui plaît. Il parle bien et il charme ses interlocuteurs : il est …

4. Élisabeth n'est pas agréable dans les discussions. Elle ne change jamais d'avis, surtout quand elle a tort. Je ne connais personne de .... !

5. Pierre-André ne décide jamais rien. Il a peur de tout. Il est vraiment ....

❸ **Trouvez l'adjectif à partir du nom. Aidez-vous d'un dictionnaire, si nécessaire.**

Adjectifs		**Noms**
intelligent	➜	*l'intelligence (f.)*
a. sensible	➜	....
b. paresseux	➜	....
c. insolent	➜	....
d. habile	➜	....
e. bête	➜	....

❹ **Complétez par *c'est* ou *s'est*. *C'est* et *s'est* se prononcent de la même manière :** [sɛ].

.... un homme d'environ quarante ans, grand et sportif. Il aime beaucoup le vélo : un vrai champion. L'été dernier, il .... entraîné sur le parcours du Tour de France. « .... dur, très dur, disait-il, mais .... une manière de se mesurer, de prouver qu'on peut réussir. » Rarement, il .... arrêté à mi-chemin. Pour lui, le vélo, ... la même chose que la vie !

Grammaire

❺ **Complétez par *puisque* ou *parce que*.**

– *Ce tableau vient d'Australie !*
– *........... vous le dites, ça doit être vrai.* ➜ – *Puisque vous le dites, ça doit être vrai.*

1. – Pourquoi tu pars si tôt ?

– C'est .... j'ai beaucoup de kilomètres à faire.

2. – J'aimerais avoir tous les romans de Simenon !

.... tu le désires, on te les offrira à Noël.

3. – Quelqu'un va acheter le journal ?

– Bon, j'y vais .... personne ne bouge !

4. – Tu es déjà revenu ?

– Je suis rentré .... j'ai oublié mes papiers.

5. – Qui nous raconte quelque chose ? Toi, Jules ?

– Je vais vous raconter une histoire drôle, ... vous me le demandez.

❻ **Transformez les phrases comme dans l'exemple. Remplacez les mots soulignés par un participe présent.**

Il connaît le chinois, il aimerait visiter la Chine.
➜ *Connaissant le chinois, il aimerait visiter la Chine.*

1. Ils étaient restés seuls à la maison, ils ont décidé de faire une fête.

....

2. Nous trouvons Carole sympathique, nous l'avons invitée à la maison.

....

3. Elle ne veut pas de téléviseur chez elle, elle écoute la radio.

....

4. Je sais que Marc avait beaucoup de travail, je ne lui ai pas proposé de venir avec nous.

....

5. Je préfère les grands espaces, je suis parti en Mongolie.

....

❼ Écrivez des petites annonces. Remplacez le pronom relatif *qui* et le verbe par le participe présent.

Benoît est un jeune homme sensible, qui aime l'aventure et qui cherche des amis pour partager son goût des voyages dans des pays lointains.
➜ *Je suis un jeune homme sensible, aimant l'aventure et cherchant des amis…*

1. François est un homme de 40 ans, qui sait faire la cuisine et qui souhaite travailler sur un bateau de plaisance comme cuisinier.

Je suis ....

....

2. Juliette et Michèle sont un couple d'employés, qui aiment l'alpinisme et qui désirent former un groupe pour monter une expédition au Tibet.

Nous sommes ....

....

3. Jean-François est un retraité de 58 ans qui voudrait échanger des timbres rares de la République de Saint-Marin avec d'autres collectionneurs qui partagent son amour pour la philatélie.

Je suis ....

....

❽ Transformez ce texte en utilisant le participe passé, quand cela est possible.

Elle était rentrée tard ce soir-là. Elle avait remarqué que toutes les chaises de son appartement avaient disparu.
➜ *Rentrée tard ce soir-là, elle avait…*

1. Elle était persuadée que ses enfants étaient à la maison, elle les avaient appelés sans avoir de réponse. ....

....

2. Elle était préoccupée parce qu'elle ne comprenait pas la raison de cette double disparition des chaises et des enfants. Elle a téléphoné à une amie, mais il y avait le répondeur. ....

....

3. Tout à coup, elle a été attirée par des bruits bizarres qui venaient de l'appartement d'à côté. Elle a décidé de sonner à la porte de ses nouveaux voisins. ....

....

....

4. Elle s'est étonnée de voir que ses enfants étaient là. Elle s'est alors souvenue que ses nouveaux voisins avaient organisé une soirée et qu'ils n'avaient pas assez de chaises pour tous les invités. ....

....

❾ Transformez ces phrases à l'aide de formes qui expriment la cause (un gérondif, un participe présent ou passé).

Vous avez beaucoup travaillé, vous êtes fatigués.
➜ *Ayant beaucoup travaillé, vous êtes fatigués.*

1. Il a été surpris par la nouvelle, il s'est mis à pleurer. ....

....

2. Il est tombé, il s'est fait mal. ....

....

3. Je n'étais pas chez moi, je ne l'ai pas vu. ....

....

4. Ils ont trouvé mon message. Ils m'ont téléphoné. ....

....

5. Vous suivez mes conseils, vous ne vous tromperez pas de route. ....

....

❿ Reprenez les phrases de l'exercice précédent et exprimez la cause en utilisant *puisque* ou *parce que*.

➜ *Vous êtes fatigués parce que vous avez beaucoup travaillé.*

1. ....

2. ....

3. ....

4. ....

5. ....

⓫ Transformez les mots soulignés et exprimez la cause à l'aide de : *à cause de + nom*. Aidez-vous d'un dictionnaire si nécessaire.

Loïc est parti, elle se sent seule.
➜ *Elle se sent seule à cause du départ de Loïc.*

1. Les prix ont augmenté, je n'achète plus ces produits.

....

2. Leur fille est née, ils ont changé d'appartement.

....

3. Arnaud nous a invités, nous ne pouvons pas venir te voir dimanche.

....

4. Mes parents sont arrivés, nous avons rangé l'appartement.

....

5. M. Bouquet a été nommé à l'agence de Poitiers. Il déménage en septembre.

....

Expression

PARTIR POUR CONTINUER À VIVRE

Sophie m'avait dit : « Tu n'es même pas capable de partir deux jours sans y penser trois mois à l'avance. » Elle m'a quitté peu de temps après. Après la rupture, j'ai été pris d'une idée fixe : la retrouver, la reconquérir. Je m'imaginais la rencontrer au coin de la rue, à Lima, au Pérou. Mais imaginer ne me suffisait pas, et je suis parti pour un très long voyage.

J'étais allé chercher conseil chez des amis à Montréal. « Qu'est-ce que je peux faire pour que mon désespoir m'abandonne ? » À Buenos Aires, vivait une amie d'enfance, Gabriella, la seule personne à qui j'avais envie de parler. Le billet d'avion était beaucoup trop cher. De Montréal, j'ai donc pris le bus, traversé les États-Unis, l'Amérique latine, dans le but de parler à Gabriella. Quand je suis arrivé à Buenos Aires, il m'a fallu cinq jours pour retrouver Gabriella. On s'est vu trois ou quatre fois. Elle ne comprenait pas pourquoi j'étais parti. J'ai quitté l'Argentine et j'ai encore voyagé un an du Brésil à Caracas.

L'un des grands plaisirs du voyage, c'est d'écrire. On a le temps de penser aux gens. Et à soi-même. Petit à petit, je me suis senti changer, devenir un autre. Je tenais un journal, Sophie n'était plus sur toutes les pages. Maintenant, je sais que je vais continuer à voyager et à fixer mes expériences de voyages dans des livres. Il a fallu que je parcoure un continent, pour réussir enfin à me rencontrer. Et apprendre, aussi, que l'on peut guérir d'une histoire d'amour.

⑫ Lisez le texte et cochez la bonne réponse.

Ce texte est un extrait : d'un article sur les couples ❑
d'un journal intime ❑
d'un guide touristique ❑

⑬ Résumez le texte en trois phrases :

1. Situation initiale : la rupture

....

2. Développement de l'action : le voyage

....

3. Situation finale : la fin du voyage

....

⑭ Dans le premier paragraphe, l'auteur écrit : « Après la rupture, j'ai été pris d'une idée fixe : la retrouver, la reconquérir... »
Soulignez dans le texte une autre phrase qui montre que l'auteur n'a plus cette idée fixe.

DELF **⑮ Vous connaissez certainement l'histoire d'une rupture sentimentale. Racontez-la par écrit. Vous pouvez suivre le plan ci-dessous, supprimer, modifier ou ajouter des éléments**

Situation initiale :
– Il est très timide et très organisé. – Elle est brillante et aime partir à l'aventure.
Développement de l'action :
– Il veut l'impressionner. – Il part en haute montagne tout seul. – Il se perd. – Les gendarmes le cherchent pendant trois jours. – Ils le trouvent épuisé. – Il rentre à la maison.
Conclusion :
– Elle n'aime pas les gens qui prennent des risques inutiles. – Elle le quitte.

Conversations

❶ Mettez les répliques dans le bon ordre.

Agnès, 45 ans, travaille à Singapour. Un journaliste l'a interrogée.

1. Je suis à la recherche d'une expérience professionnelle différente.

2. Ici, je me sens plus libre. J'ai une liberté complète de prendre des décisions, mais j'ai aussi plus de responsabilités.

3. En quoi travailler à Singapour n'est pas la même chose que d'avoir une activité à Paris ou à Toulouse ?

4. Bonjour, Agnès. Vous travaillez à Singapour. Pourriez-vous me dire ce que vous cherchez dans un pays si différent de la France ?

5. Je ne dirais pas que je fuis mon pays. Mais ici, j'ai d'autres occasions de réussite professionnelle.

6. Depuis l'âge de vingt ans. Je me disais souvent que même pour une femme il y aurait des chances… Et en plus, je voulais montrer à mes parents que je pourrais réussir. Voilà tout !

7. Vos amis ne vous manquent-ils pas ?

8. Vous fuyez votre pays à cause des difficultés à y faire carrière ?

9. Un peu, peut-être. Disons que je n'ai pas tellement le temps de sortir, d'aller à un concert…

10. Une dernière question : depuis quand avez-vous fait ce choix de partir à l'étranger ?

DELF **❷ Changer de vie.**　　　　**Bernard Caron, 46 ans, éleveur, ancien cadre.**

Bernard Caron est devenu paysan il y a onze ans et s'étonne d'être si heureux. « C'est pour moi la vraie vie ! » se réjouit cet amoureux des animaux qui décida subitement de quitter Air France où il était cadre administratif. Cet homme de 46 ans n'a pas le moindre regret quant aux sept années qu'il a consacrées au transporteur aérien. Aujourd'hui, il élève 75 chèvres et 350 canards à Courménil (Orne). Jamais il n'a été tenté de revenir dans la région parisienne, où sa vie « n'avait pas de sens ». Un jour, il a rencontré par hasard, chez des amis, un éleveur de moutons lorrain. Ce fut le déclic.
Du courage, il en fallait pour s'endetter de 5 000 000 francs et proposer à la vente des produits originaux au label « biologique » : fromages de chèvre, foie gras, saucisses. Dangereux également de s'imposer de tels changements de vie. Finis les horaires et le salaire garantis, les congés payés. Bernard Caron n'est pas parti en vacances depuis onze ans.
« J'avais conscience des risques d'échec. Je me suis fait embaucher par un ami lorrain. Puis, de ferme en ferme, j'ai appris le métier pendant sept ans avant de m'installer. » Il passe même par l'école des bergers de Montmorillon. « Au bout de quelques mois, je savais déjà que je ne reviendrais plus en arrière.»
D'autant qu'à la ferme lorraine, il a aussi rencontré sa femme, passionnée d'équitation, professeur de français dans un collège. Elle a été mutée dans l'Orne et l'aide à la fromagerie.
« On est heureux », dit Bernard. Il sourit : « On n'a même pas eu le temps de faire des enfants ! »

**Lisez cette biographie de Bernard Caron. Repérez les informations importantes sur sa vie, son âge, son ancienne profession, son nouveau métier.
Vous le rencontrez et vous lui posez des questions. Imaginez ses réponses.**

Aspirations

GRAND NORD, GRAND LARGE

Le comportement touristique des Français a changé. Les séjours à l'étranger ont progressé de 23 % en trois ans. Même si les pays européens sont toujours en tête des destinations, le tourisme « naturaliste » est à la mode. Partir à pied sur la trace d'un buffle[1], attendre le moment favorable, le soir tombé, pour voir le léopard, dormir sous la tente en pleine brousse[2], écouter les cris de la forêt dans la nuit noire…

Observer les animaux dans leur milieu naturel : tel est l'objectif des voyages dits « naturalistes ». Les inventeurs de cet écotourisme sont des professionnels passionnés, souvent spécialistes, amateurs de la grande faune[3] d'Afrique, ou ornithologues[4] qui utilisent leur connaissance du terrain pour organiser des voyages en petits groupes. Voici quelques agences de voyages avec leurs surprenantes destinations :

• **GRAND NORD-GRAND LARGE** (tél. 01 40 46 05 14), avec 70 destinations polaires dans les régions arctiques et antarctiques. Parmi les principales attractions :
– le circuit en terre de Baffin permet de vivre au milieu des ours polaires de la côte (en août, 21 400 F pour un groupe de 4 à 8 personnes) ;
– voyages au Québec pour observer les baleines[5], avec le responsable de la station de recherche des îles Mingan, sur la côte nord du fleuve Saint-Laurent (8 000 F par personne, au départ de Montréal, 4 500 F pour les étudiants).

• **GRANDEUR NATURE** (tél. 01 45 51 48 80), annonce :
– des safaris au Kenya, en 4 x 4 et à pied ;
– des circuits, à moto et à cheval, au Colorardo. Les prix sont à définir en fonction des choix et du nombre des participants.

• **OBJECTIF NATURE** (tél. 01 42 78 43 23), propose de partir avec un photographe spécialisé dans les photos d'animaux. Leur circuit le plus extraordinaire :
– la migration des gnous en Tanzanie (août-septembre, environ 14 000 francs par personne, dix jours).

1. Buffle : animal de la même famille que les bœufs.
2. Brousse : végétation des régions tropicales.
3. Faune : l'ensemble des animaux.
4. Ornithologue : spécialiste des oiseaux.
5. Baleine : un des plus gros animaux marins.

Ⅰ **Lisez ce texte et répondez aux questions.**

1. a. Les voyages touristiques à l'étranger sont : en hausse ❑   en baisse ❑
 b. De combien, en pourcentage ?
2. Dans la nouvelle manière de faire du tourisme, on cherche :
 a. le confort ❑
 b. les visites de monuments connus ❑
 c. le folklore (les danses et la musique) ❑
 d. la nature et les animaux ❑
3. Combien d'agences de voyages sont mentionnées dans ce document ?
4. Leur nom suggère :
 a. le confort des hôtels de luxe ❑
 b. la simplicité de la vie en milieu naturel ❑
5. Dans les propositions des agences :
 a. Quel est le voyage le plus cher ?
 b. Quel voyage offre un prix spécial pour les étudiants ?
6. À quoi est dû cet intérêt grandissant pour un tourisme écologique, selon vous ?
7. Observez-vous le même phénomène dans votre pays ?

Fuir la ville où l'améliorer

Ça n'a l'air de rien, mais ça change tout

De quoi j'ai l'air,
J'ai l'air de rien, en tout cas de pas grand-chose.
On ne me voit pas, sauf quand je sens mauvais !
Je suis impalpable et pourtant indispensable.
Je suis l'air, petit air frais du matin.
Je suis l'air de l'île-de-Fance.
Je suis le bien le plus précieux de chacun d'entre nous.
Protégez-moi à chaque instant…

Depuis vingt ans, les sources de pollution ont beaucoup changé, et si l'air que vous respirez en Île-de-France est aujourd'hui moins pollué, chacun, par son comportement de tous les jours peut encore améliorer la qualité de l'air en Île-de-France.

Qui pollue ?

En ville, l'air n'est pas toujours pur, et, certains jours, nous respirons des polluants multiples, certains toxiques, d'autres moins.
Les pollutions peuvent voyager jusqu'à une centaine de kilomètres de leurs sources.

Aujourd'hui, ce sont plusieurs types de polluants, essentiellement les gaz émis par les véhicules, qui polluent. Les usines se sont modernisées et ont réduit, depuis une dizaine d'années, leurs diverses émissions polluantes. Les chauffages utilisent de plus en plus le gaz naturel qui rejette dans l'atmosphère moins de substances que les fiouls et le charbon. Mais le trafic automobile a tellement augmenté que le secteur des transports routiers est devenu le premier pollueur d'Île-de-France. C'est dans ce secteur que les plus gros efforts sont à faire, par une utilisation plus raisonnable de l'automobile dans la ville et l'adoption de carburants moins polluants.

Sources : Conseil régional d'Île de France

2 **Lisez les extraits de ce document diffusé par le conseil régional d'Île-de-France, la région de la grande agglomération parisienne et répondez aux questions.**

1. Le petit texte poétique *Ça n'a l'air de rien, mais ça change tout* est consacré :
au vent ❏   à l'air ❏   à la France ❏

2. a. Repérez les 6 adjectifs qui se rapportent à l'air : …
   b. Lequel de ces adjectifs signifie : *on ne le sent pas au toucher* ?

3. *Sentir mauvais* signifie :
avoir mauvais goût ❏   avoir une mauvaise odeur ❏   entendre mal ❏

4. (1re colonne) Dans le texte *Qui pollue ?*, repérez deux informations importantes :

5. (2e colonne) Repérez les responsables de la pollution : *les gaz émis…*
Lequel est le premier polluant ?

LA QUALITÉ DE L'AIR FRANCILIEN SUR 3 ANS			
nombres de jours	*1994*	*1995*	*1996**
Excellent	0	0	1
Très bon ou bon	161	174	128
Assez bon ou moyen	158	146	144
Médiocre ou très médiocre	40	38	32
Mauvais	4	7	1
* 1996 : données sur 306 jours.		*Sources : AIRPARIF*	

3 **Observez le tableau ci-dessus et répondez aux questions.**

1. Comparez les données. Quelle est l'année où l'air a été le plus pollué ?

2. Y a-t-il dans votre pays un organisme qui analyse la qualité de l'air ?

QUE FAIT MA RÉGION ?

Le conseil régional d'Île-de-France
investit pour réduire les sources de pollution. En 1994, par exemple : le Conseil régional a
subventionné pour 47,6 MF la dépollution
des usines d'ordures ménagères[1].

• **Des transports en commun accessibles**
Le Conseil régional consacre deux tiers de ses
investissements « transports » aux transports
collectifs, notamment sur les trajets de banlieue à
banlieue. En plus de leur développement, la Région fait attention à ce que ces transports en
commun aient plus d'avantages que l'automobile.

• **Des bus et des carburants moins polluants**
50 % à 80 % de pollution en moins, par rapport aux carburants classiques. Dans le cadre de
l'opération « Bus Propres » le Conseil régional finance des bus permettant d'utiliser des carburants plus écologiques.

• **Un plan régional pour les cyclistes et les piétons.**
Mieux partager la voirie, aménager les zones limitées à 30 km/h, créer des itinéraires pour les
vélos, financer les pistes cyclables, la Région s'engage financièrement pour développer ces
aménagements en Île-de-France.

• **40 millions d'arbres en 25 ans**
Une politique active de protection et de développement des forêts et des espaces verts, qui
contribuent largement à améliorer la qualité de l'air, menée par la Région. Un hectare de chênes
ou autres espèces communes retient, en un an, 50 tonnes de poussières atmosphériques sur
son feuillage. D'ici 2015, 40 millions d'arbres seront plantés en Île-de-France.

1. Ordures ménagères : ce que l'on jette quotidiennement à la maison (restes de nourriture, bouteilles vides, etc.)

4 **Lisez ce document : il s'agit de mesures concrètes que prend la région pour
améliorer l'air.**

1. Repérez les données chiffrées :
    a. la date.
    b. le chiffre en millions de francs.
2. À quoi cette somme a-t-elle été destinée ?
3. Lisez rapidement le texte et reliez les paragraphes à ces courts résumés :
    a. Pour améliorer l'air, il faut davantage d'arbres. 40 millions d'arbres en vingt-cinq ans : cette
opération est financée par la région.
    b. Les mesures prises par la région ont fait diminuer les gaz polluants. La région finance
des bus plus écologiques.
    c. La région développe les transports en commun et les rend plus efficaces.
    d. La région veut développer le réseau de pistes pour les vélos et les piétons.
4. Trouvez-vous que cette campagne de sensibilisation est importante ? Selon vous, qui d'autre
doit mener une action éducative pour sauvegarder l'environnement : la famille, l'école, les associations ? Répondez à ces dernières questions par écrit, comme s'il s'agissait d'un questionnaire.

INTRIGUES

 Vocabulaire et orthographe

❶ **1. Devinette : De quelle « couleur » est la peur, en français :**

rouge ❑   jaune ❑   bleue ❑

2. De quelle « couleur » est la peur, chez vous ? ....

Ils sont dans une rage noire !

*Leurs voisins jouent du tambour et leur font passer des nuits blanches !
Il y a de quoi faire grise mine, non ?*

❷ **1. Reliez les adjectifs de sens opposé.**

1. méchant	**a.** fort
2. tranquille	**b.** pressé
3. faible	**c.** bon
4. lent	**d.** énervé
5. modeste	**e.** clair
6. sombre	**g.** orgueilleux

2. Complétez ce texte à l'aide de quelques-uns des adjectifs précédents.

Il faisait noir dans le parking. Une lumière .... tombait sur les automobilistes .... qui garaient leurs voitures et partaient au travail. Ce jour-là, Nadine n'était pas encore arrivée à bord de sa voiture, bien .... par rapport aux véhicules puissants de ses collègues. Nadine était une jeune femme aux yeux .... Elle était employée chez Arbéton, une entreprise de construction. En arrivant au parking, elle cherchait toujours à éviter le regard du gardien, un homme à l'air .... qui lui provoquait une sorte de frayeur.

❸ Associez les expressions de temps des deux listes.

Le temps par rapport à maintenant	Le temps par rapport à un moment dans le passé
1. hier	**a.** une semaine après
2. demain	**b.** ce jour-là
3. le mois prochain	**c.** le jour précédent (la veille)
4. aujourd'hui	**d.** le mois suivant
5. dans une semaine	**e.** le lendemain

❹ Lisez et complétez ce texte par *sa* et *ça*, selon le cas. *Sa* et *ça* se prononcent de la même manière : [sa].

.... n'allait pas bien du tout. .... voiture était tombée en panne, ... secrétaire était partie en vacances et il ne pouvait pas la prévenir pour reporter son rendez-vous. « .... arrive parfois que les choses n'aillent pas comme on veut ! », se disait-il, pour se consoler. Il ouvrit le moteur et .... surprise se transforma en désespoir quand il vit qu'il fumait : .... ne lui était jamais arrivé ! .... belle voiture, presque neuve !

Grammaire

❺ 1. Soulignez toutes les formes verbales.

Ce que Bernard <u>appréciait</u> le plus dans son nouvel appartement, <u>c'était</u> son bureau où <u>il avait installé</u> son ordinateur, tous ses livres, dans une grande bibliothèque, et un fauteuil très confortable. <u>Personne n'y entrait</u> sans <u>avoir</u> d'abord <u>frappé</u> à la porte.

Un jour, en regardant par la fenêtre, il assista à une scène étrange : dans la rue, il y avait un taxi qui attendait depuis un quart d'heure. Une jeune femme avec deux valises était enfin arrivée, mais, au moment de monter dans le taxi, un homme s'était approché et, en l'appelant « mademoiselle », l'avait invitée à le suivre. Qui pouvaient bien être ces deux personnages ? Bernard commença à rêver d'histoires d'espionnage, de belles étrangères et d'agents secrets…

– Mais qu'est-ce que tu fais, Bernard, tu travailles encore ? lui dit sa femme. Tu as fini ton rapport ? Soudainement sorti de son rêve, Bernard s'aperçut alors qu'il faisait nuit et qu'il fallait qu'il se dépêche de lire, pour le lendemain, son rapport sur « Les perspectives de développement en Corée et au Japon ».

2. Classez les formes verbales et complétez le tableau.

Indicatif				
Présent	Imparfait	Plus-que-parfait	Passé simple	Passé composé
....	*appréciait*	*avait installé*	....	....

Subjonctif	Participe		Infinitif	
Présent	Présent	Passé	Présent	Passé
....	*(en) regardant*	....	....	*avoir frappé*
....	....	....	....	

❻ Remplacez les verbes soulignés par les formes correspondantes au passé simple.

Arthur a̲ un moment d'hésitation. ➜ *eut*

a. Il voit une personne cachée derrière les arbres. ....

b. Il avance très lentement, le regard fixé sur cette ombre. ....

c. Tout à coup, les feuilles se mettent à bouger. ....

d. Puis, on entend une voix d'enfant prononcer le nom d'Arthur. ....

e. À ce moment-là, Arthur reconnaît son petit cousin qui commence à pleurer. ....

f. Pour le rassurer, Arthur lui donne la main et ils rentrent ensemble à la maison. ....

g. Depuis ce jour-là, le petit cousin ne veut plus sortir tout seul. ....

❼ Lisez et complétez les phrases de cet extrait par les formes de l'indicatif imparfait, passé simple ou plus-que-parfait, selon le cas.

Il (ne pas y avoir) .... de lune et la nuit (commencer) .... à être assez noire.
➜ *Il n'y avait pas de lune et la nuit commençait à être assez noire.*

1. L'homme (marcher) .... en direction de l'auberge qu'il (entrevoir) .... à peine.

2. Soudain, (y avoir) ....un bruit sec suivi aussitôt d'un léger bruit sur le sol.

3. L'homme (s'arrêter) ....et (regarder) ....autour de lui.

4. Il (comprendre) ....que quelqu'un (tirer) ....un coup de fusil, non pas en l'air, mais vers lui qui (passer) ....

5. Il (être) ....inutile de chercher son agresseur : la nuit (être) ....trop sombre.

6. L'homme (continuer) ....sa route, d'un pas sûr et quelques minutes plus tard il (arriver) .... à l'auberge.

8 **Lisez cette conversation et racontez-la, en utilisant les temps du récit, d'après les suggestions.**

Le fils de M. et Mme Noblecourt, Gérard, a disparu. Le commissaire Boulanger mène l'enquête…

M. NOBLECOURT : Entrez, monsieur le commissaire, et excusez-nous de vous avoir demandé de venir nous voir. Installez-vous, je vous en prie. Nous sommes très préoccupés. Nous savons que Gérard rêvait de partir pour l'Islande. Il nous en parlait souvent. Il s'agit peut-être d'une fugue.

MME NOBLECOURT : Gérard est un grand rêveur mais il est raisonnable. Je ne pense pas qu'il serait parti sans rien dire. Il s'agit peut-être d'un enlèvement.

M. NOBLECOURT : Ma femme est très préoccupée, monsieur le commissaire. Nous le sommes tous en ce moment. C'est pourquoi nous vous demandons de continuer votre enquête avec prudence. C'est pour notre fils que nous vous demandons ça.

COMMISSAIRE BOULANGER : Vous, monsieur Noblecourt, vous pensez vraiment que votre fils est parti en Islande ?

M. NOBLECOURT : Je pense que c'est possible.

Le commissaire entra dans l'appartement. M. Noblecourt s'excusa de lui avoir demandé

de ……………………………… Sa femme et lui étaient …………………

9 **1. Soulignez les trois phrases qui expriment une conséquence.**

Richard s'était levé péniblement. Il avait tout de suite téléphoné au bureau. Il était fatigué. Il ne pouvait pas sortir. Il avait pris de l'aspirine et s'était remis au lit. Son sommeil était agité. Il s'était réveillé plusieurs fois. À une heure, sa femme était rentrée et elle avait appelé le médecin : la température de Richard était élevée. Elle était inquiète.

2. Transformez les phrases que vous avez soulignées à l'aide de *tellement… que.*

→ *Il était tellement fatigué qu'il ne pouvait pas sortir.*

………………………………………………………………………………………………………

………………………………………………………………………………………………………

10 **Reliez ces phrases en exprimant la conséquence.**

Il était timide. Il rougissait chaque fois qu'on lui adressait la parole.
→ *Il était tellement timide qu'il rougissait chaque fois qu'on lui adressait la parole.*

1. La pièce était sombre. On ne voyait rien.

………………………………………………………………………………………………………

2. Le cambrioleur a été rapide. Personne ne l'a vu.

………………………………………………………………………………………………………

3. J'étais bien chez mes amis. Je suis restée quelques jours de plus.

………………………………………………………………………………………………………

4. L'intrigue est compliquée. L'enquête n'avance pas.

………………………………………………………………………………………………………

5. Le film nous a plu. Nous l'avons vu deux fois.

………………………………………………………………………………………………………

Expression

CÉLÈBRE PHOTOGRAPHE TUÉ PAR UN OURS

TOKYO. Un des photographes japonais les plus connus, Michio Hoscino a été déchiqueté[1] par un ours alors qu'il préparait un documentaire dans la péninsule russe de Kamcatka. Le photographe dormait seul dans une petite tente, à côté de la cabane où se trouvaient ses cinq camarades. Lorsqu'ils ont entendu des cris, ses camarades se sont précipités et ils ont aperçu un ours qui traînait le corps du photographe. L'équipe de secours a trouvé le corps neuf heures plus tard. L'ours a été abattu le lendemain.

1. Déchiqueter : déchirer, mettre en morceaux

❶❶ Lisez le texte et cochez la bonne réponse.

Ce texte est extrait :

d'un article de journal ❑ d'un roman d'aventures ❑ d'un récit de voyage ❑

❶❷ Repérez la phrase qui résume le contenu du texte. Soulignez-la.

❶❸ Écrivez un fait divers en complétant les informations suivantes.

Nice. .... a été emporté par la mer alors que ....

Ses camarades étaient .... lorsqu'il ....

Les recherches .... Le touriste ....

le lendemain matin accroché à un rocher.

.... à l'hôpital, ses jours ne sont pas en danger.

Il nous a quittés... **BIOGRAPHIE**

Michio Hoscino était connu pour ses reportages photographiques sur le Grand Nord. Il y était allé pour la première fois à 17 ans. Fasciné par la photo d'un village inuit en Alaska, il avait décidé de partir. Sans connaître ni l'anglais ni la langue inuit, il avait réussi à vivre trois mois dans la région, hôte bien accepté de la communauté locale.

Une fois ses études terminées, il avait quitté le Japon et il était allé s'installer à Fairbanks, en Alaska. Il aimait les ours et il savait en parler. Lors de notre dernière rencontre, il m'avait fait rire en me racontant sa rencontre avec une grande ourse qui avait trébuché[1] sous ses yeux, en jouant avec ses petits. Il se faisait déposer par un petit avion quelque part en Alaska et il y vivait seul trente-quarante jours. Infatigable, il pouvait marcher toute la journée avec un sac à dos de quarante kilos. Je lui avais demandé s'il avait peur, seul, l'hiver. « Je n'ai pas peur l'hiver, m'avait-il répondu. En hiver, le grizzly dort. C'est l'été que j'ai peur. La seule chose que je crains vraiment, c'est que l'ours entre dans ma tente. » Deux ans après notre entretien, Michio Hoscino a eu la visite qu'il craignait.

1. Trébucher : perdre l'équilibre

14 **Répondez aux questions.**

1. Le texte ci-dessus a été écrit par :

Michio Hoscino ❑   Un journaliste qui avait collaboré avec le photographe ❑

2. Quelles sont les deux formes verbales les plus utilisées dans le texte ?

.... et ....

3. Quelle est la forme verbale qui indique des actions qui se sont déroulées pendant la jeunesse et au début de la carrière du photographe ?

....

4. a. Dans le troisième paragraphe, soulignez les phrases où l'auteur décrit les activités habituelles du photographe.

b. Quelle est la forme verbale utilisée ?

....

15 **Relisez les paroles du photographe rapportées entre guillemets. Réécrivez-les à la forme indirecte.**

Michio m'avait répondu qu'il ....

puisqu'en hiver le grizzly dormait. C'était l'été ....

La seule chose qu'il ....

....

DELF **16** **Un sportif de haut niveau (un coureur cycliste, un skieur, …) a dû arrêter sa carrière à la suite d'un accident. Racontez ce qui lui est arrivé et parlez du personnage. Vous pouvez suivre le plan ci-dessous, supprimer, modifier ou ajouter des éléments.**

– Grand coureur cycliste renversé par une voiture pendant l'entraînement.
– Resté deux mois à l'hôpital.
– Ne peut plus courir.
– A commencé sa carrière très jeune.
– A gagné deux Tours de France.
– Très apprécié dans son équipe.
– On lui a proposé un poste d'entraîneur adjoint dans sa propre équipe.

....
....
....
....
....
....
....
....
....
....
....

Conversations

❶ André raconte à un copain ce qui lui est arrivé au mois d'août dernier.

1. Lisez ces répliques et mettez-les dans le bon ordre.

1. – Et alors, qu'est-ce qui s'est passé ?

2. – Qu'est-ce tu as fait ? Tu as vu quelqu'un ?

3. – Au mois d'août, je suis resté seul à la maison pour préparer mes examens à l'université. Il faisait chaud et je laissais les fenêtres ouvertes, pour faire des courants d'air. Un après-midi, je suis sorti faire les courses : je n'avais plus rien à la maison et j'ai oublié de fermer une petite fenêtre qui donne sur la cour…

4. – Quand je suis rentré, tout était en désordre : les livres par terre, les meubles déplacés, rien n'était plus à sa place…

5. – Oui, j'ai vu une ombre sur le toit et des traces de pieds sur le mur de la petite fenêtre qui était restée ouverte. Mais j'ai vu aussi que les bijoux de ma mère avaient disparu !

2. À partir de la conversation d'André, racontez ce qui lui est arrivé, comme dans un roman.

C'était le mois d'août. André était resté seul ………..

parce qu'il ……………………………………………

Quand il rentra, il …………………………………

………………………………………………………

………………………………………………………

DELF **❷ 1. Imaginez la scène au commissariat, entre M. Green et le policier de service.**
Monsieur Green, Américain, est en vacances à Paris avec sa femme. C'est le dernier jour, il a rendez-vous dans le hall de l'hôtel avec sa femme, qui a préféré faire des achats au lieu d'aller visiter une exposition. Mais elle n'est pas au rendez-vous. Quelques heures plus tard, il se rend à la police pour en déclarer la disparition…

M. GREEN : *Je dois déclarer la disparition de ma femme, Doris.*

LE POLICIER : *Quel est votre nom, votre nationalité, pour quelles raisons êtes-vous à Paris ?*

M. GREEN : ……………………………………………………………………………………

LE POLICIER : *Racontez-moi ce qui s'est passé.*

M. GREEN : ……………………………………………………………………………………

2. Imaginez la suite de l'histoire de M. Green, dans un récit écrit. Aidez-vous des suggestions.

Dénouements possibles :
a. Doris Green a perdu la mémoire, mais elle a des papiers sur elle.
b. Doris a rencontré « l'homme de sa vie ». Elle écrira à son mari quelques jours plus tard : elle veut changer de vie.

SOUVENIRS

 Vocabulaire et orthographe

❶ Relisez le texte de la chanson, p. 155 du manuel. Répondez aux questions.

1. *Faire du cinéma* est repris par une expression équivalente. Laquelle ?

....

2. *Faire semblant de…* signifie :

a. ressembler à quelque chose ou à quelqu'un ☐

b. donner l'impression, fausse, de faire quelque chose ☐

c. agir avec enthousiasme ☐

3. *Avoir l'air (de…)* signifie :

a. avoir froid ☐ **b.** être de mauvaise humeur ☐ **c.** ressembler (à…) ☐

4. *Le printemps* et *l'hiver* correspondent à :

l'enfance, la jeunesse, l'âge adulte, la vieillesse ?

5. Le verbe *chavirer* s'utilise généralement pour les bateaux qui se retournent dans l'eau.

L'image du sourire *qui tombe à l'eau et qui chavire* exprime un sentiment :

a. de joie ☐ **b.** de tristesse ☐ **c.** d'indifférence ☐

6. Les clowns sont souvent des personnages tragiques, obligés de faire rire les autres.

a. Ici, qui est comparé au clown ? ....

b. *Le clown* en train de faire *son dernier tour de piste* donne une impression de :

indifférence ☐ surprise ☐ tristesse ☐

❷ Dans le texte de la chanson, repérez les mots (adjectifs et noms) qui aident à imaginer les deux personnages.

Lui : *rides* ....

Elle : *fillette* ....

❸ À l'aide des mots de l'exercice précédent, racontez cette histoire d'amour un peu triste.

❹ Lisez ce texte et complétez-le par : *la*, *là*, *l'a* ou *l'as*, selon le cas.

............, le temps s'était arrêté. Les gens vivaient tranquillement et modestement.

.... première fois que j'étais allé dans ce village, j'avais été invité par un cousin.

Sa maison, je me .... rappelle bien, sur les rochers, ..., devant la mer. « Tu .... construite toi-même ? », lui demandai-je. « Bien sûr, avec l'aide de mes amis. On .... faite, cette maison, en six mois et j'en suis fier. » Effectivement .... maison de mon cousin avait une vue superbe. Le confort était minimum, mais il y avait tout le nécessaire. « Les enfants me disent, continua-t-il, qu'il faudrait .... vendre pour acheter une maison plus moderne. Mais cette vue, où je pourrais .... trouver, sinon ici ? »

 # Grammaire

❺ Lisez ces phrases et mettez-les au passé.

Tu me confirmes que le rendez-vous sera probablement annulé.
➜ *Tu m'as confirmé que le rendez-vous serait probablement annulé.*

1. Elle est sûre qu'il ne la reverra plus. ....
....

2. L'homme lui dit qu'elle sera heureuse, plus tard. ....
....

3. Sa mère demande à Jean s'il va rentrer pour le déjeuner. ....
....

4. Nous savons qu'ils apprécieront notre cadeau. ....
....

5. Je te répète qu'il va pleuvoir et qu'il va faire de l'orage. ....
....

❻ Soulignez les verbes qui introduisent le discours rapporté indirect. Transformez les phrases en utilisant le discours rapporté direct.

Il déclara aux parents de la jeune fille qu'il avait l'intention de leur demander sa main.
➜ *Il __déclara__ aux parents de la jeune fille : « J'ai l'intention de vous demander la main de votre fille. »*

1. Sabine avait affirmé que le journal intime de sa grand-mère se trouvait dans le grenier, dans une malle.
....

2. Le vieil homme a dit à la jeune femme qu'elle devait l'oublier.
....

3. Il a ajouté qu'elle ne devait pas être triste.
....

4. On demanda aux spectateurs si le film leur avait plu.
....

5. Laure et Didier avaient répété plusieurs fois qu'ils se marieraient au printemps.
....

❼ Mettez ces phrases au discours rapporté indirect. Choisissez le verbe introducteur et mettez-le au passé (*déclarer, affirmer...*).

Je le trouve très sympathique. (elle)
➜ *Elle a répété qu'elle le trouvait très sympathique.*

1. Delphine est une femme vraiment charmante. (Léonard)

....

2. On s'ennuie vraiment, à Étretat. (ils)

....

3. Sur la plage, je n'ai pas arrêté de regarder Charlotte. (le jeune homme)

....

4. Nous avons aperçu Florence et Martin la main dans la main, aux Tuileries. (elles)

....

5. Tu as reçu une lettre de Laurent ? (je)

....

❽ Transformez ces phrases comme dans l'exemple.

Hier, Xavier m'a dit : « Je veux quitter ma ville, l'année prochaine. »
➜ *Hier, Xavier m'a dit qu'il voulait quitter sa ville, l'année d'après.*

1. Elle a avoué à ses amis : « Aujourd'hui, j'ai pris une décision importante. »

....

2. Ils ont demandé à Jean-Pierre : « Tu pourras t'occuper de nos réservations d'hôtel, demain ? »

....

3. Mme Fleurent a demandé à sa voisine : « Pourrez-vous vous occuper de mes plantes, la semaine prochaine ? »

....

4. Francine m'avait dit : « Je ne viendrai plus en vacances ici », mais elle a changé d'avis.

....

5. J'étais très inquiète et j'ai demandé au service de renseignements de l'aéroport : « Le vol Air France Miami-Paris de ce matin est-il parti en retard ? »

....

❾ Voici une page du journal de Bernard, 20 ans, parti en vacances en Auvergne, avec des amis. Lisez-la et rapportez ce qu'il a écrit, à partir des suggestions.

Aujourd'hui, mercredi 27 juillet, nous sommes arrivés à Salers. Le temps, ici, semble s'être arrêté, malgré la foule de touristes. C'est la belle saison, les journées sont longues. Ce matin, je me suis levé à cinq heures pour observer les animaux et voir le soleil se lever. Ce soir, j'ai fait un tour dans la ville médiévale : c'était fascinant ! Demain, nous nous arrêterons dans un auberge de jeunesse à vingt kilomètres d'ici. Vendredi, on prévoit une étape dans un camping, près d'une rivière. Je suis en vacances, je suis content, mais tu n'es pas avec moi et tu me manques !

Ce jour-là, mercredi 27............, ils sont arrivés à............ Là, le temps, semblait............

Expression

> Richard,
>
> Pardonne-moi de t'envoyer cette lettre, mais il fallait que je t'écrive. J'ai tellement de choses à te dire. Bien sûr, j'aurais dû te parler un peu plus de moi, mais cette semaine de vacances avec toi était si belle ! J'avais peur de tout détruire en disant un mot de trop. Aujourd'hui je le regrette…
>
> Je ne suis pas celle que tu crois. À Paris, je ne fais pas la fête, je ne joue pas au golf, je ne discute pas philosophie ou musique pendant la moitié de la nuit, je ne passe pas mes après-midi dans les magasins. Ça, c'était les vacances, ma semaine de vacances avec toi.
>
> La réalité est beaucoup moins drôle. J'ai deux métiers : d'une part, je donne des cours de français à des étudiants étrangers dans une école privée – c'est un travail plutôt sympathique –, d'autre part, je travaille à mi-temps comme secrétaire dans une maison d'édition, c'est-à-dire que quatre heures par jour, je fais des photocopies, je travaille sur ordinateur, je prépare les voyages des rédacteurs. J'ai peur de craquer, mais j'ai besoin d'argent pour finir de payer mon appartement. J'adore sortir : concert, théâtre cinéma…, mais je suis souvent trop fatiguée. Et comme beaucoup d'autres, je n'ai que peu de temps pour mes amis.
>
> Voilà, tu sais tout sur moi. Si tu n'es pas trop déçu, si tu as quand même envie de me revoir, téléphone-moi vite.
>
> *Éléonore*

❿ Lisez la lettre et cochez la bonne réponse.

1. Cette lettre est :

une lettre privée ❏   une lettre d'affaires ❏   un journal intime ❏

2. D'après vous, Éléonore écrit une lettre à Richard :

pour lui expliquer comment elle est vraiment   ❏

pour lui demander ce qu'il fait dans la vie   ❏

pour lui parler de ses vacances   ❏

3. Éléonore et Richard :

se connaissent depuis longtemps   ❏

travaillent dans le même bureau   ❏

se sont rencontrés en vacances   ❏

11 **Le texte est composé de quatre paragraphes.**

1. Dans le premier paragraphe, trouvez ce qu'Éléonore dit :

a. pour s'excuser

....

....

b. pour exprimer ses regrets

....

....

2. Résumez en quelques phrases le contenu :

a. du deuxième paragraphe (ce qu'Éléonore faisait en vacances)

....

....

b. du troisième paragraphe (ce qu'Éléonore fait à Paris)

....

....

3. Comment Éléonore termine-t-elle sa lettre ? Complétez :

Elle demande à Richard ....

....

....

DELF

12 **Vous écrivez une lettre à un(e) ami(e). Vous commencez par vous excuser d'avoir fait (ou de ne pas avoir fait) quelque chose.**
Par exemple :
– Vous n'avez pas prévenu de votre départ.
– Vous n'avez pas invité votre ami(e) à votre pendaison de crémaillère (votre fête, votre anniversaire).

Excusez-vous en disant la vérité ou en inventant quelque chose.

Conversations

❶ **Complétez la conversation de Marguerite et de Corinne.**

Marguerite, 21 ans, raconte à sa sœur, Corinne, comment elle a rencontré Édouard, son nouveau copain, pendant son séjour à Genève, en Suisse. Sa sœur, curieuse, demande des précisions sur Édouard.

MARGUERITE : Tous les matins, j'aimais bien faire très tôt des promenades au bord du lac. C'est là que j'ai remarqué Édouard : il faisait du jogging toujours à la même heure, entre sept heures et huit heures. Je l'ai trouvé très beau, mais lui, il n'avait pas l'air de s'intéresser à moi…

CORINNE : [Demande la description physique d'Édouard.] ……………………………………………

………

MARGUERITE : Il a un très beau sourire, des yeux noirs, les cheveux clairs.

CORINNE : [Demande ce qu'elle a faire pour entrer en contact avec lui.] ……………………

………

MARGUERITE : Je me suis acheté, moi aussi, un vêtement de sport et, le matin à six heures trente, je sortais et j'allais courir… en espérant le rencontrer.

CORINNE : [Les premiers mots.] …………………………………………………………………………

MARGUERITE : Un matin, je me suis fait mal au pied en courant et lui, il s'est arrêté. C'est comme ça que notre histoire a commencé.

CORINNE : [Le caractère d'Édouard.] ……………………………………………………………………

………

MARGUERITE : Il est très doux et très gentil et il aime beaucoup le cinéma !

DELF ❷ **Racontez une rencontre. Imaginez le récit à partir des suggestions.**

1. Décrivez le cadre général.

Il faisait très chaud. Dans le train, une jeune femme m'a demandé de l'aider à monter sa

valise. ……………………………………………………………………………………………………

2. Décrivez la personne (son aspect physique, son habillement, sa voix…)

Elle avait les cheveux …………………………………………………………………………………

3. Décrivez la situation.

À côté de la fenêtre, elle ………………………………………………………………………………

Moi, je ……………………………………………………………………………………………………

4. L'histoire avance. Décrivez une première action de la personne.

Lorsqu'elle a levé le regard sur moi, je lui …………………………………………………………

5. Retour à la situation. Décrivez le cadre général.

Le train traversait ………………………………………………………………………………………

6. Décrivez une deuxième action qui fait avancer l'histoire.

Vers cinq heures, le train ………………………………………………………………………………

Elle ………………………………………………………………………………………………………

Moi ………………………………………………………………………………………………………

7. Conclusion.

LIVRES EN FÊTE

Le polar à l'honneur pour la neuvième fête du livre de Bécherel

SYLVIE SÉGUIER

« UN LIBRAIRE vient d'être assassiné à quelques jours de la Fête du livre de Bécherel. Qui a commis cet horrible méfait ? » Ce fait divers est fictif. L'énigme qu'il contient est celle que devront résoudre les milliers d'amateurs de polars qui viendront à Bécherel pendant ce week-end de Pâques pour s'immerger, trois jours durant, dans l'univers du roman policier, le thème à l'honneur de cette neuvième édition.

Perchée à cent soixante dix-huit mètres, Bécherel, la plus petite cité d'Ille-et-Vilaine, a fière allure. Mais elle n'aurait pas résisté longtemps à la désertification si trois femmes n'avaient eu l'idée, en 1989, de contrer l'inéluctable agonie de leur bourgade en créant la Fête du livre. Personne, à l'époque, n'aurait parié un centime sur cette idée. « Pour organiser la première Fête du livre, nous avons contacté les propriétaires des nombreuses maisons qui étaient à vendre afin qu'ils nous prêtent leur rez-de-chaussée. Nous avons nettoyé ces espaces et incité les libraires à venir s'y installer pendant Pâques », se souvient Yvonne Prêteseille, initiatrice du projet avec Colette Trublet et Catherine Guérin.

Le trio passe alors au crible tout ce que l'annuaire compte de professionnels du livre. Vingt exposants dressent leurs rayonnages dans les locaux rafraîchis à leur intention. Dès le samedi, les Bécherelais, dubitatifs, voient arriver les premiers visiteurs. Ils seront cinq mille à arpenter les rues pentues de la cité fleurie et à s'attarder devant les échoppes gavées d'ouvrages neufs et anciens. Cette première a des retentissements tels que, l'été suivant, d'autres bouquinistes viennent à Bécherel. Dans leur sillage, plusieurs libraires achètent des maisons. La cité, autrefois recluse dans un silence de malade, se met à donner de la voix et à susciter des débats d'opinions entre les protagonistes de la fête, accusés de dirigisme culturel, et les nouveaux arrivants. « Bécherel appartient à tout le monde ! »

Partie de rien, la petite cité de caractère d'à peine six cents âmes héberge aujourd'hui onze libraires. Un record. Relieurs, calligraphes, peintres... séduits par le site se sont progressivement installés. Après Hay-on-Wye au Pays de Galles et Redu en Belgique, Bécherel est aujourd'hui la troisième cité du livre en Europe.

La Fête du livre de Bécherel
29, 30 et 31 mars.
Tél. 02 99 66 77 50.

Le Journal du Dimanche n° 2622,
dimanche 30 mars 1997.

▶ **1. Lisez rapidement l'article du *Journal du Dimanche*. Allez jusqu'au bout, même si vous ne comprenez pas certains mots. Cochez la bonne réponse.**

Il s'agit :

du récit d'un crime qui s'est passé à Bécherel ❑

d'une information sur un événement culturel qui a lieu à Bécherel ❑

de renseignements pour les touristes qui visitent Bécherel ❑

▶ **2. Relisez le premier paragraphe.**

a. Par quel(s) mot(s) est-ce qu'on peut remplacer *fictif* ?

inventé ❑   vrai ❑   imaginaire ❑

b. Quel mot de la famille de *fictif* est-ce que vous connaissez ? ....

c. Quel est le thème de la 9ᵉ Fête du Livre de Bécherel ? ....

d. Donnez un titre au paragraphe. ....

▶ **3. Relisez le deuxième paragraphe.**

    a. Quel nom est-ce que vous retrouvez dans *désertification* ? ....

    b. Quel mot est-ce qu'il y a dans *contrer* ? ....

    c. *Désertification* signifie :
    devenir un désert   ❑
    parler du désert   ❑
    voyager dans le désert ❑

    d. *Contrer* quelque chose, c'est :
    être à côté de quelque chose   ❑
    ne pas accepter quelque chose ❑
    combattre quelque chose   ❑

    e. Quelle est l'idée des trois femmes pour empêcher la mort de Bécherel ?

    ....

    f. Donnez un titre au paragraphe.

    ....

▶ **4. Relisez le troisième paragraphe.**

    a. Retrouvez dans le troisième paragraphe les phrases qui signifient :
    – 5 000 visiteurs se promèneront dans les rues de la ville pleine de fleurs et s'arrêteront devant les boutiques pleines de livres neufs et anciens.
    – On parle tellement de cette première fête du livre que, l'été suivant, d'autres libraires viennent à Bécherel.
    – Les trois femmes cherchent dans l'annuaire du téléphone tous les professionnels du livre.
    – La ville […] fait naître des débats d'opinion entre ceux qui sont pour la fête, à qui on reproche de vouloir trop diriger la culture, et les nouveaux arrivants.
    b. Donnez un titre au paragraphe.
    ....

▶ **5. Relisez le quatrième paragraphe.**

    a. Combien y a-t-il d'habitants à Bécherel ? et de libraires ? Quelles autres informations donne ce paragraphe ?

    ....
    ....

    b. Donnez un titre au paragraphe.

    ....

▶ **6. a.** Dans quels paragraphes trouve-t-on les informations les plus importantes ?

    ....

    b. Résumez ces informations en deux ou trois phrases.

    ....
    ....
    ....

Achevé d'imprimer en Italie par G. Canale & C. S.p.A. - Borgaro T.se (Turin)
Dépôt légal 03386-06/00 - Collection 44 - Édition 04
15/5094/6